ちくま新書

思想史講義【大正篇】

山口輝臣
Yamaguchi Teruomi
福家崇洋 編
Fuke Takahiro

1673

思想史講義 大正篇【目次】

凡例

＊各講末の「さらに詳しく知るための参考文献」に掲載されている文献については、本文中では（著者名　発表年）という形で略記した。

＊固有名詞（地名・人名等）の旧字は原則として新字に改めた。

刊行の辞

山口輝臣
福家崇洋

読者のなかには、思想というと抽象的でとっつきにくいイメージをもたれる方がいるかもしれません。しかし、思想は私たちの生活とともにあるものです。思想に向き合うことで、自己や他者、社会について理解を深めることができます。

思想になじみがないと感じられるのは教育が関わっています。高校において、思想史の「思想」の部分は倫理の授業で、「史」の部分は歴史の授業で主に勉強しています。大学でも思想史の講義は決して多くはありません。

しかし、思想を知ることで、歴史をより深く理解することができますし、思想を理解するためにも歴史は不可欠です。思想史という視点から歴史を考えることは、分けて習ってきた思想と歴史をともに学び直すことを意味します。

その方法として、私たち編者は、思想に歴史という軸を与えながら、歴史に思想という広がりを与えたいと考えました。個々の思想の歴史をひもときながら、それらの思想を通底する歴史の思想に触れていただければと考えています。

歴史を通して過去に起こった出来事を知ることができますが、思想史という視点を通して、出来事の背景や関わった人びとの想いを知ることで、起こりえた出来事、ありえた未来までも受けとめることができます。歴史上で失われた、数多くの可能性を掘り起こしながら、その可能性をいまへと接合できることが思想史の醍醐味です。

しかし、その姿勢が恣意的なものにならないためにも、歴史の知識を学ぶことが必要です。本シリーズでは、各分野の第一線で活躍する研究者に、学術的知見に裏付けられた最新の成果をもとに、講義やコラムという形で執筆していただきました。さらに各テーマを掘り下げてみたいと思われたときは、講義の最後にある文献一覧が参考になると思います。

筑摩書房『思想史講義』シリーズを通して、読者の皆さまが歴史と思想に改めて関心を持っていただければ幸いです。

はじめに

福家崇洋

『思想史講義』シリーズは、明治Ⅰ、明治Ⅱ、大正、戦前昭和の四篇から構成される。本書では、大正期（一九一二～二六）を代表する思想と歴史を各論者に講義・コラムとして論じてもらった。それらに先だって、本稿では大正期の思想と歴史を概観しておきたい。

†文明化と「国体」の行方

日本史の教科書では、大正期を「大正デモクラシー」で説明する。しかし、この言葉で代表される立憲主義、民本主義、社会主義、政党政治論以外にも、さまざまな思想が世にあらわれた。

大正期の思想をみていくうえで、明治期からの変化を考える必要がある。ごく簡単にまとめるなら、明治期の日本政府は、文明化の推進と「国体」（天皇を中心とする国家のあり方）の確立をめざした（その制度的象徴が一八八九年制定の大日本帝国憲法と皇室典範）。

しかし、この試みは大正期に入る頃から変化をしいられる。「国体」のほころびと文明化の変容である。自我や民衆、社会といったこれまでとは異なる自己と国家の認識、そして西洋発の文明とは異なる「文化」という考え方が広まった。

まず「国体」にとっての最大の衝撃は、天皇の死と代位であった。天皇制は、神聖化されながらも属人的なシステムで、明治天皇の病死と病弱な大正天皇の即位は「国体」の動揺を招いた。

その動揺への対応が、政治では「憲政擁護・閥族打破」で知られる第一次護憲運動だった。明治憲法のもとで立憲主義擁護と長州薩摩らの閥族批判が広く民衆の支持を得た一方で、政治における天皇の位置づけや責任が焦点になった。

天皇のあり方の変化は学説にも及んだ。東京帝国大学教授の美濃部達吉《みのべたつきち》は国家法人説のゲオルク・イェリネックらの議論を導入して、国家＝法人の機関として天皇をとらえる天皇機関説を打ち出すと、これまで支配的だった天皇主権説との間に論争が起きた。

こうして、天皇から剝離されはじめた大正期の日本において、自己と国家の関係が再検討されていく。

『東洋経済新報』で論陣を張った石橋湛山《たんざん》は、領土拡張や保護政策ではなく、個人の自由と活動を活発化させ、国民の福利とともに商工業を発展させるという小日本主義を提唱した。のちに植民地放棄論につながるこの思想は、朝鮮という巨大な植民地を抱えてまもない日本に鋭い問いを投げかけるものだった。

同時期の『中央公論』で論陣を張った東京帝大教授の吉野作造《さくぞう》は、主権の所在ではなく運用において民意の尊重、国民の福利を実現する民本主義を打ち出した。彼は民衆に期待をかけてその運動を支持する一方で、抑圧下の東アジアから湧きあがる民族的解放の声と運動を支持した。

石橋や吉野の主張は、国家との関係を個人や民衆の視点から再解釈しながら、大正という新時代に応じて文明化のギアを入れ替えようとするものだった。

その担い手が学生・青年や労働者である。日露戦後に自我にめざめた学生・青年は誌上交際で教養を増し、高等教育を受けて自らの主張を世に問いはじめた。大正初期には労働団体の友愛会が結成され、労働者の修養的組織から次第に戦闘化し、学生らを幹部に迎えて労働運動を推し進めた。

新たな担い手を関西から鼓舞したのが河上肇《はじめ》（京都帝国大学教授）の『貧乏物語』だった。この新聞連載（一九一六年九月から一二月まで、のち書籍化）により、多くの読者は大戦景気下での「貧乏」を知り、社会問題の解決と「生」（人生と生活）の充実に取り組んだ。

生を問う姿勢は、吉野とともに黎明会を支えた福田徳三（東京商科大学〔現在の一橋大学〕教授）

にも共通する。彼は一九一六年に「生存権の社会政策」を発表し、生存権概念を駆使した社会政策論を展開した。

大正前期(一九一二~一八)の人びとは、自らの生に向き合い、日本という国家が敷くレールとは異なる人生や社会を発見していく。

†第一次世界大戦と「文明化」再考

これら国内の変化を後押ししたのが、第一次世界大戦(一九一四~一八)だった。日本の戦闘規模こそ小さかったものの、大戦の余波は政治・経済・社会の各分野に及んだ。

文明化とのかかわりで言えば、文明化(=西洋化)の先に未曾有の大戦が起きた現実を前に、これまでとは異なる文明化の道が模索される。ひとつ目は大戦期のアジア進出と回帰、二つ目は大正中期の総力戦体制の準備、三つ目は大正後期の「文化」の発見である。

アジア進出とは、辛亥革命後の中国に対する満蒙独立運動と対華二一カ条条約である。とくに後者は多くの中国人の反日感情を呼び起こした。その後のロシア革命による帝制崩壊とソヴィエト政権誕生は、帝国日本をしてシベリア干渉戦争という新たなアジア進出に向かわせた。

アジア回帰とは、文明化(=西洋化)の再検討に際してアジアが参照軸となったことである。日露戦争は黄禍論を生む一方で、「有色人種」とされた人びとの結集・提携も一部ながら生み出していた。大戦期にはインドとの経済的・文化的関係が以前より密になり、ラビンドラナート・タゴール（ノーベル文学賞受賞）や亡命インド人の言説が日本で紹介されたのは、西洋文明再考という文脈とかかわる。

日本における総力戦体制（当時は国家総動員と呼ばれた）への準備は、第一次大戦期からみられた。すでにこの時期には、日本の論壇でもフレデリック・テイラーの科学的管理法が紹介され、能率増進のような人間を量と効率でとらえる考え方が社会に浸透しはじめていた。

ヨーロッパでの大戦に触発されて、日本でも軍需工業動員法の制定、軍需局の設置と同局を取り込んだ国勢院の設置と国勢調査の実施が行われた。論壇でも、資源のあるアジアへの進出論とあわさり国家総動員論が登場した。近代化を極限化する総力戦体制への志向は軍部内で強く存在し、満蒙進出論や政党政治批判とともに一九二〇年代末から表出する。

最後の「文化」の発見とは、文化生活、文化住宅、文化主義など、文化（ドイツ語のクルトゥアの訳語）という言葉がよく用いられたことを指す。ここには皮相で物質的な文明とは異なる、精神的な活動をふくむ「文化」という位置づけが与えられた。

こうした論を展開した教養派の人びとの著作が世に出回ったほか、これまでの道徳主義的な教育法に代わって、児童の個性を尊重し自由に才能を発揮できる教育法（新教育）が実践された。この影響を受けた学生・青年たちが大正後期（一九一八～二五）の活動を担う。

†戦後世界の再編と民族独立要求

大正後期の動向を国外との関係からみていこう。

第一次世界大戦終結で戦後世界の再編がはじまった。パリ講和会議で日本代表が提起した、人種的差別撤廃の国際連盟規約への反映は失敗に終わる。他方で、この時期には「民族」が時代の言葉になる。

ウッドロウ・ウィルソン米大統領の民族自立の提唱を受けて、朝鮮の三・一独立運動、中国の五・四運動など、日本を含む列強の支配に対する大規模な批判・独立要求が巻き起こった。とくに朝鮮での民族独立運動は、これに呼応する吉野作造らの知識人や学生を生み出した。台湾ではこれほどの運動はおこらなかったものの、経済政策や米増産政策をめぐって「内地」との利害の乖離や対立が顕在化した。

ヨーロッパでは、ワイマール憲法制定などに象徴される戦後デモクラシーの潮流が生まれた。他方で「ファシズム」の萌芽もみられ、一九一九年に生まれたドイツ労働者党（のちヒトラーが党首、後年の国民社会主義ドイツ労働者党）が、イタリアで同年に設立された戦闘者ファッシ（元社会党員のムッソリーニが代表、のちの国民ファシスト党）が活動をはじめていく（後者は二二年に政権を担当）。

戦後国際秩序の枠組みとしては、国際連盟の発足とワシントン会議がある。ウィルソンの提案で設立された国際連盟の常任理事国四カ国に日本も入り、国際社会の一角を占めた。一九二二年開催のワシントン会議では日本を含む九カ国が参加し、日英同盟の解消とともに、太平洋上の領土権益保障などを決めた四カ国条約（米英仏日）と軍縮条約、中国問題をめぐる九カ国条約が締結されたことに大きな意味を持つ。以後、日本でもこの枠組みで外交を考える国際協調主義が展開されたが、足下では英米中心主義への批判や自国優占主義がくすぶっていた。

ワシントン会議に招かれなかったロシアも、一九一九年に誕生した第三インターナショナル（コミンテルン）を活動拠点として、ヨーロッパのみならずアジアにも勢力を及ぼした。二二年にモスクワなどで極東諸民族大会を開催し、東アジア各地の共産主義者らの交流が進んだ（二一年に中国共産党成立）。

東アジアへの勢力拡大は、ソヴィエト政権の全権代表アドリフ・ヨッフェの中国派遣と上海における孫文との共同宣言締結や、その後の来日・要人との会談などさまざまなルートで試みられ、日本でも日ソ国交樹立へいたる。

†解放と抑圧の先に

大戦終結の一九一八年は、日本では全国にシベリア出兵にともなう米騒動が全国に広がり、スペイン風邪が流行して多くの死者を出した時期だった。これらの厳しい状況下において社会問題の解決を目指し、相互扶助を強調する、失業救済事業などの都市社会政策・社会事業が開始された。

論壇と社会では、雑誌『改造』『解放』の刊行（ともに一九一九創刊）に象徴されるように、現存する日本を改造し解放への希望を与えてくれる思想と運動が盛んとなった。国家主導だった文明化と「国体」の設定を、民衆の側から再設定する動きが広がったといえる。

これらの動きをリードしたのは社会主義者だった。大逆事件後の「冬の時代」を耐え忍んだ彼らは、雑誌刊行による啓蒙や普選運動への参加に取り組みはじめた。ここに第一次世界大戦やロシア革命を契機とする社会主義運動の国際化という側面が加わり、国境を越えた東アジア共産主義運動の布石となった。

彼らは上記の総合雑誌に時局批判やマルクス主義翻訳を掲載し、労働運動、普通選挙運動を推し進めた。ロシア革命の影響を受けて、マルクスやレーニンに依拠するボルシェヴィキに影響を受けた人びと、アナーキズムとアナルコサンジカリズムに影響を受けた人びとに分かれていく。ときに統一組織も誕生し、またそれぞれが国際的な左派ネットワークに接触するなかで、日本では日本共産党が、上海でも朝鮮人による高麗共産党が誕生した。

ただ、独伊の「ファシズム」でみられるように、左右のイデオロギー対立は明確でなかった。

日本でも社会主義者から分かれて国家社会主義運動が生まれたし、双方の傾向を持ちつつ対外的に民族独立や人種差別撤廃を求める国家改造運動もこの時期生まれた。

後者の運動は必ずしも社会主義に対する反動や旧来の「国体」への回帰ではない。北一輝《きたいっき》の『国家改造案原理大綱』(一九一九、のちの『日本改造法案大綱』)は列強の抑圧下にあるアジアの解放をみすえつつ、新日本の創造を意図したもので、運動家や軍人に読まれていく。

弾圧下で先鋭的な思想と運動を展開できたのは一部の人びとにかぎられたが、その周辺では労働者、学生・青年、農民が集い、多くの労働組合、農民組合、学生団体が誕生し、争議や運動などが起きた。学生たちはのちに無産政党や労働組合の幹部となり、青年たちの一部は「院外青年」としては政党政治の周辺で運動した。

あわせて忘れてはならないのは、社会のマイノリティともいえる女性や被差別部落の人びとである。彼らも結社を設け、自らの生き場を求めて積極的に声をあげた。そのなかで生まれたのが『青鞜』を磁場とする、母性保護や女性の権利をめぐる論争であり、社会にこそ差別の原因があることを訴えて生まれた水平社の存在であった。

解放への志向は信仰でもみられ、大本が根源的な世界の「大正維新」をかかげて宗教実践を布教し、多くの信者の大衆的欲望を組み込みながら、ときに天皇制との衝突を招いて当局から弾圧された。

救済への信仰は時代の不安と表裏一体であるが、一九二〇年以来病気で公務を担当できなくなった大正天皇に代わり、二一年から皇太子裕仁《ひろひと》親王（のちの昭和天皇）が摂政に就任した。

約二年後には関東大震災で戒厳令が布かれるなかで、官憲・自警団による朝鮮人虐殺が起きた。朝鮮半島を植民地に抱え、日常的に朝鮮人を差別してきた「内地」の人びとが彼らからの非常時での逆襲を恐れたゆえの虐殺だった。同時に、その民衆を管理する当局の制度が構築されていく。

ときに解放への運動や信仰、そして他民族抑圧に向かった民衆の心性は、一九二〇年代が過ぎるとその一部が体制へ吸収されていく。そのひとつのルートが大正後期にもりあがった普選運動や政党政治だった。

既成政党の側でも普選体制や政党政治の整備が試み、社会運動は既存の政治体制への足場となる。こうして、無産政党や既成政党というルートで議会内での戦いに身を供していく者もいれば、より普遍的な変革をもとめて、政治の周縁や社会で運動を続ける人びとへと分かれていく。

第1講
憲政擁護論

小山俊樹

†憲政擁護と閥族打破――「大正デモクラシー」のはじまり

一九〇五（明治三八）年九月、ポーツマス条約の調印をもって日露戦争が終結した。しかし講和の内容に憤る民衆は、日比谷公園での国民大会をきっかけに東京市中で暴動を起こし、大臣官邸・新聞社・交番・市街電車などを襲撃した（日比谷焼打ち事件）。

この事件からはじまり、護憲三派内閣が普通選挙法を制定した一九二五（大正一四）年にいたるまでの約二〇年間は、「大正」の元号が用いられた時代をほぼ含み、しかも日本の政治や社会の広範な各分野にわたって、民主主義的な傾向をもつ諸運動が巻き起こった時代であった。政党政治や社会運動を具現化した当時の風潮は、一般に「大正デモクラシー」と呼ばれている。

大正期には、民主的傾向だけで語ることができない思想動向も強い。そのため、この時代を「デモクラシー（democracy）」の語で代表できるかについては、疑問も出されている。ただ同時代の混沌とした思想状況のなかで、民衆の自由意思を政治や社会に反映させたいとの希望が高まり、運動という形で表面化したことは確かである。本稿では、大正期の民主的思想傾向を示す語として「大正デモクラシー」を用い、その潮流のなかで現れた憲政擁護運動（第一次護憲運動）の思想的位置づけを考察したい。

「大正デモクラシー」を主唱した松尾尊兊《たかよし》によれば、約二〇年間の展開はおよそ三期に分けられる。すなわち、日比谷焼打ち事件から第一次護憲運動までの第一期（一九〇五〜一九一三）、第一次世界大戦に重なる第二期（一九一四〜一九一八）、大戦後から普通選挙法成立までの第三期（一九一九〜一九二五）である（松尾『大正デモクラシー』）。そのうち本講での重要な課題は、「大正デモクラシー」の第一段階といえる第一次護憲運動までの足跡となる。

第一次護憲運動の直接のきっかけは、一九一二（大正元）年一二月、第二次西園寺《さいおんじ》公望《きんもち》内閣が、上原勇作陸軍大臣の辞職によって総辞職したことにはじまる。上原の辞任は、陸軍の主張する朝鮮への二個師団増設の要求が認められないことに対する行動であり、陸軍からは後任の大臣となるべき現役武官が推薦されなかった。西園寺内閣は立憲政友会（総裁西園寺）を与党としており、政党中心の政権が陸軍に倒された形となったのである。

すでに同年一一月頃から、一部の新聞記者・財界人・弁護士・政党政治家などによって、軍備拡張を進める陸軍を批判する運動が起こっていた。西園寺内閣が総辞職し、後継に内大臣・

侍従長であった桂太郎（元首相）が第三次内閣を組織すると、批判運動は「憲政擁護」「閥族《ばつぞく》打破」のスローガンを掲げて、さらに加熱した。翌一九一三（大正二）年二月一〇日、国民大会に集まった群衆が議会を包囲し、大臣官邸・政府系新聞社・交番などを襲撃した。桂内閣は翌日総辞職した（大正政変）。さらに政友会の協力で後継政権を担った第一次山本権兵衛《ごんべえ》内閣に対しても、シーメンス事件の追及をきっかけに批判運動が起こり、一九一四年三月に山本内閣は総辞職する。西園寺の辞職から桂の退陣までの間に発生した政権批判の運動が第一次護憲運動と呼ばれているが、山本の辞職までを含む説もある。

　このように大正初期の憲政擁護運動は、民衆がときの政権の非を直接間接の行動で訴えるものであった。では護憲運動を支えた思想とは、どのようなものであったか。じつは護憲運動に至る時期の思想史的研究は、後年の「民本主義」全盛期に比べて豊富とはいえない。吉野作造によって「民本主義」の語が定着する以前、論壇などで盛んに唱えられたのは「立憲主義」であった。だが日比谷の民衆騒擾が「日露講和条約反対」の主張を掲げたように、この時期の運動には、国権主義的な対外膨張・排外主義が底流にあった。「大正デモクラシー」研究の主眼は、戦前日本の民主化に加えて反帝国主義の系譜を探ることにも置かれていたため、「内には立憲主義、外には帝国主義」と称される第一期の運動は、第二期以降の「民本主義」全盛期に比べて関心を集めにくかった。

しかし護憲運動の思想的源流をみるためには、この時期の「立憲主義」を改めて振り返る必要があるだろう。そこで本講では、①民衆的示威運動、②立憲主義の内実、③憲政擁護の論理の三点を中心に、「立憲主義」と第一次護憲運動をもたらした思想的契機を考えてみたい。

†「民衆的示威運動」の系譜

第一次山本内閣が倒れた後、吉野作造は「民衆が政治上に於《お》いて一つの勢力として動くといふ傾向」が流行したのは日比谷焼打ち事件からだ、と述べている（「民衆的示威運動を論ず」）。沸き上がる民衆のエネルギーが現実の破壊衝動として現れたことで、政治も社会も、これを無視できなくなった。それまで後景に置かれていた民衆の姿が、事件をきっかけに、はっきりと可視化されたのである。民衆の政治的台頭を感じ取った吉野作造は、国際的な潮流とあわせて個人主義の確立と国利民福をめざす「民本主義」を提唱するが、それは後章（第3講）に譲ろう。

日比谷焼打ち事件を起こした民衆は、無賠償の講和条約に反対を唱え、戦争継続を訴えた。そこには多数の戦死・戦傷者という犠牲や人々の貢献に対して、講和条約の内容が見合わないとの不満があった。講和に賛成する者を「露探《ろたん》（ロシアのスパイ）」と攻撃し、条約を「弔う」との表現で批判する行動様式は、それまで勝利を「祝う」ことで戦争を支持してきた心情の逆転であった。「君が代」を斉唱し、陸海軍万歳を三唱して、警官隊と衝突する群衆の姿は、た

年月	政治事項	集会場所	主催団体	襲撃対象
1905年9月	日露講和条約反対	日比谷公園	講和問題同志連合会	内相官邸、新聞社、派出所、教会、電車など
1906年3月	電車賃値上げ反対	日比谷公園	田川大吉郎、日本社会党	電車、電車会社
1906年9月	電車賃値上げ反対	日比谷公園	帝室中心社会主義大日本青年義団	電車
1908年2月	増税反対	日比谷公園	社会主義同志会	電車
1913年2月	憲政擁護（大正政変）	議事堂周辺	立憲青年連合会	新聞社、派出所
1913年9月	対中強硬策要求	日比谷公園	対支連合会	外務省
1914年2月	憲政擁護（山本内閣打倒）	日比谷公園	対支連合会	新聞社、電車、派出所

東京における都市暴動（1905-1914）
藤野裕子『都市と暴動の民衆史』61頁をもとに作成

しかに「帝国主義」的な対外膨張論を身にまとっていたといえる（藤野二〇二〇）。

他方で民衆の主張には、犠牲や貢献が無駄となった思いの反面として、政治家・為政者への批判が内在されていた。新聞の投書などには、民衆の犠牲のもとに、政治家たちだけが富と栄誉を得る不公平感が表れている。そして政治への不信感は、民衆による政治の主張へと転化されていく。

日比谷焼打ち事件以降の東京における暴動について、上の表を参照されたい。第一次護憲運動にいたるまでの間に、民衆はしばしば怒りを爆発させているが、その底流には政治の腐敗や民衆に負担を強いる増税、公共料金の値上げなど、日常での絶え間ない不満の連続があった。

一九〇六年の東京市電値上げ問題では、社会主義者や新聞記者（田《た》川《がわ》大《だい》吉《きち》郎《ろう》ら）が演説会や市民大会を開いたことをきっかけに、騒擾が発生している。また一九〇六〜七年にかけて、日露戦争時に設定された塩専売・通行税・織物消費税を「三悪税」と称して、商業会議所連合会が中心となって廃税運動が展開された。この運動に参加したのは、やや上層の商工業者であったが、より規模の小さな事業者や市民による、ガス合併問題（一九一〇年）や電灯問題（一九一三年）など、公益事業をめぐる負担の問題から発生した運動もあった。民衆の負担の問題は、市会・区会議員や新聞記者、弁護士などを動かし、都市での政治運動の火種となった。

都市だけではなく、地方においても町村税は滞納され、小作争議や村紛争は増加の一途をたどっていた。軍工廠《ぐんこうしょう》や造船所、炭鉱などでの労働争議も頻発している。日露戦争に動員された民衆の負担は重く、政治機構的には完成したはずの明治国家は、民衆の直接意思表明を前に秩序の変容を求められていたのである。

そのとき、明治国家を改革するシンボルとなっていくのが「立憲主義」という思想であった。この時期に「立憲主義」を主唱した代表的な論者としては、浮田和民《うきたかずたみ》・高田早苗《たかたさなえ》・尾崎行雄《ゆきお》・島田三郎らが挙げられる。彼らは帝国憲法の精神を擁護する主張にもとづき、新しい政治への関心を民衆の間に広めていく。そして高田が「外に向て帝国主義、内に於《おい》ては立憲主義、両々相俟《あいま》たずんば、永遠に国家の隆盛を維持するを得べからず」（「帝国主義を採用するの得失如何」）と述べた言葉に代表されるように、彼らは日露戦争で高揚した民衆の「帝国主義」観念と、「立憲主義」の両立こそが国家を発展させると説いたのである。それでは「帝国主義」的な対外膨張を是とする民衆のなかに、「立憲主義」はどのように浸透し、どう理解されたのだろうか。彼らの論理に立ち入ってみよう。

†浮田和民の「倫理的帝国主義」

ここでは立憲主義の有力な論者として活動した、浮田和民の議論に着目する。浮田は当時の代表的な総合雑誌『太陽』の主幹をつとめ、『倫理的帝国主義』(一九〇九)を著した人物である。同誌の紙面で浮田は「内部に向つては立憲思想の普及を計り、外部に対しては倫理的帝国主義」を実現する、これが浮田と『太陽』の主張であると繰り返し説いた。

浮田によれば、その立憲主義は次のように要約される。①憲法によって政府の権力を制限する、②人民に自由権利が保障される、③君主独裁や貴族専断に陥らず、国民の公議世論にもとづいた政治外交が実行される。とくに③を実現するために、人民に参政権を与えることが「立憲政治の本体」と位置づけられる(浮田「立憲政治の根本義」)。さらに浮田は選挙権拡張、選挙腐敗防止、健全な世論や政党の育成、藩閥批判、教育の拡充などを唱えるが、これらの主張のかなりの部分、とくに政治参加の拡充を重視する面において、のちの「民本主義」論に強い影響を与えたとされている。

では浮田のいう「倫理的帝国主義」とは何か。それは旧来の帝国主義を、絶対権力のもとで戦争や軍事力で遂行される「武断的帝国主義」として批判し、軍事的侵略をともなわずに経済上の基盤（浮田によれば「移民」）を世界中に展開して、「実質上の帝国を建設」するという新たな帝国主義の提唱であった。

浮田は日本の採る帝国主義的政策が、英米独露の列強に比べて著しく遅れていると指摘した。先進諸国、とくにイギリスをモデルとした「実業上の帝国主義」を重視する浮田は、その発展の根幹を、個人の自由を重んじて自由主義の発展を保障した点にあると考えたのである。さらに浮田は、先進各国の帝国主義は、すべて国内正当の理由にもとづいて諸外国に合理的な要求を行っている、と述べている。いまの日本は「立憲主義」を達成できておらず、そのため人民の正当な要求が政治外交の場に反映されない。その後進性が、一部の特権階級による「武断的帝国主義」を許し、日本を困難な位置に立たせている要因だと考えたのである。

そして新たな「倫理的帝国主義」が国民の自発的なグローバル経済活動に依存するならば、海外においても自主独立の精神をもち、道徳的なふるまいを行える国民を育成しなければならない。そこで浮田は「自由独立の人格」や「自治的道徳」の養成を担う「帝国主義の教育」の実践を強調する。日本の国民性の特徴を「感情の強盛」にあるとみていた浮田は、日露講和に反対して暴発する国民に対して、指導と修養が必要だと考えていた。そこで日本国民には、海外にわたって拓殖し「東洋の人民を啓発」する「天職」があるものと位置づけ、自らを律し、国際社会にも通用する規範を内面化した「自治的道徳」を備えることを求めたのである。

右にみられる浮田の「帝国主義」には、軍事力による領土拡張の要素がほとんどない。当時の支配的言説であった社会進化論を受け入れて、諸民族の競争発展を意味する「帝国主義」は認めるものの、その実は政治外交論よりも、人材養成と経済発展に主眼が置かれた。

そこで注目すべきは、浮田の言説が日露戦争後の世論に適応していたことである。つまり対外膨張を是認しながらも軍拡負担への不満を示す民衆に対して、経済と軍事の分野を峻別してみせ、経済的な海外発展を新しい帝国主義と位置づけることで、従来の軍事偏重の強圧的政治外交政策を批判した。しかもそれを一部特権階級（軍閥など）によるものと攻撃して、世論を政治に反映させる「立憲主義」を同時に主張した。さらにしばしば暴動を起こす民衆に対しても、これを教育によって「倫理的」に教導する立場を示したのである。

なお大逆事件によって幸徳秋水《こうとくしゅうすい》らが死罪となると、浮田は社会主義者であっても政治的自由を奪うことは許されないと批判を展開し、憲法上の自由と権利を保障すべきと訴えた（「社会主義及無政府主義に対する憲政上の疑義」）。「帝国主義」を掲げる浮田らの自由立憲主義と、徹底した帝国主義批判を展開する社会主義の相違点は小さくなかったが、この時期の社会主義に対しては、立憲主義の立場からも一定の理解と援助があったことが知られている（松尾『大正デモクラシー』)。

†尾崎行雄の「立憲勤王論」

日露戦後に発生した「立憲主義」に関する思想的な課題として、君主制論の問題は重要であった。同時期の天皇機関説論争は後章(第2講)で扱われるが、憲法学者以外の立憲主義者にも、イギリス流の立憲君主制を「君臨すれども統治せず」と解釈し、これを最も合理的な統治形態とする見解は共通していた。明治憲法体制の枠内において、天皇の絶対性を保持しながら、同時に政治の民主化を推進する。尾崎行雄が著した『立憲勤王論』(一九一七)は、立憲主義者による典型的な論理を示している。

尾崎はまず日本皇室の「万世一系の実」を称え、それが可能であった要因は「君意民心」が常に一致してきたからだとする。つまり国家皇室を繁栄させるには、この「君意民心の一致」をますます堅固にすることが必要で、もし君民の間を疎隔するものがあれば、それは「不忠不義」をなすものである、と。

さらに君民一致のためには、何よりも君主が「民心の帰向を察知」しなければならない。それには二つの方法がある、と尾崎はいう。ひとつには「精神的方法」であり、歴代の天皇が実践してきた「心眼を開きて」民心を看破するものである。だがこれは完全ではないために、外戚（藤原氏など）の台頭や武士の時代を招いてしまった。これからは、もうひとつの「器械的方法」、つまり制度によって民意を表出させることが必要になる。これが「立憲政治」である。尾崎は伝統的な支配の方法を否定せず、「立憲主義」は民意を掌握するための「補足」として用いるものと説いた。尾崎によれば、日本以外の国家においては、立憲政体は人民の君主に対する闘争によって勝ち取られてきた。だが日本の場合は、建国以来の歴代天皇が実践したところを成文化し、「器械的」にするにすぎない。立憲政体は「万機公論に決すべし」「上下心を一にして盛に経綸を行ふべし」との、明治天皇による五箇条の誓文の「大精神」に基づくものである、と。

同書のなかで尾崎は政党内閣制を力説し、それは「君意民心を一致」させるための「最好方便に過ぎ」ず、国体に何ら反するものではないとの主張を展開した。しかし同時に尾崎は「君主に私心なし、民の心を以て其《そ》の心となす」として、歴代天皇の政治的無意志を説いているから、天皇の統治を事実上名目的なものとし、民意の反映された議会中心の立憲政治を想定していたことは明らかである。こうして「立憲主義」は、他国由来の民主政体を日本の伝統的統治に親和的なものへ読み替え、さらには議会中心の政党政治こそが、皇室の永続繁栄をもたらすと主張したのである。

†憲政擁護の論理構造

明治末期から大正初期にかけて唱えられた「立憲主義」を検討したことで、憲政擁護運動にみられた各種の論理を、より明確に理解できるであろう。

まず憲政擁護運動の発生にあたり、西園寺内閣を倒した朝鮮における陸軍二個師団の増設が争点となったことは、時代遅れの「武断的帝国主義」(軍拡=二個師団増設)を推進する軍閥を批判し、人民の要求を政治外交に反映させようとする「立憲主義」を浮上させた。次に成立した第三次桂太郎内閣が、即位して間もない大正天皇の勅語を濫発し、政治的解決を図ったことは、欽定憲法の精神を「天皇の神聖」におき、「君意民心の一致」をかかげて君主の政治性を否定する「立憲主義」の主張を想起させた。

一九一三(大正二)年二月五日、第三次桂内閣に対して不信任案を提出した尾崎行雄の弾劾演説は、明らかな「立憲主義」の立場から行われた。「彼等は玉座を以て胸壁となし、詔勅を以て弾丸に代へて政敵を倒さんとするものではないか」との尾崎の言葉は有名だが、その前には「勅語に対して責任を負わぬと云ふが如きは、立憲の大義を弁識せざる甚しきもの」との文言が演説中にある。「我憲法の精神は、天皇を神聖侵すべからざるの地位に置」くために、詔勅の責任は「国務大臣をして」負わせるとの言辞もある。天皇の、しかも即位して間もない大

国会議事堂前に押しかけた群衆（大正２年２月10日、国民タイムス社『写真五十年史』より）

正天皇の「勅語」を「閥族」が独占して、天皇を用いて政治的問題を解決しようとしたうえに、その責任は負わないとする桂の態度を、尾崎は「玉座の蔭に隠れ」るものであり、「政治的無意志」であるはずの天皇に、政治的責任を押しつけるものと攻撃したのである。

かくして「立憲主義」は政治的争点となり、「憲政擁護」「閥族打破」は桂内閣打倒のスローガンとなった。政治的に不遇な地位から一転して、国民党の犬養《いぬかい》毅《つよし》とともに「憲政の神」としての栄誉をうけた尾崎は全国を遊説し、民衆に強い影響を与えた。「立憲」の名を掲げた青年会が全国で勃興し、改革を求める社会的風潮は都市中間層にとどまらず地方にも波及した。憲政擁護運動の展開と「立憲主義」の普及は、大正期のデモクラシー風潮の高揚に大きな寄与があった。

他方で、課題も残された。「立憲主義」は政治論としては抽象的な内容であり、政党や議会運営の具体的な方策にまで及んでいない。そして憲政擁護運動の成果として、政党内閣樹立をめざす文官任用令改正や軍部大臣武官制廃止などは実現されたが、選挙権拡張の問題を指摘するものはまだ少数で、普通選挙にまで進めた主張は『東洋経済新報』などのごく一部にとどまっていた。

さらに「立憲主義」の採用は、それが皇室の繁栄と民衆の利益、そして帝国主義的な経済発展を実現するのに適切であるからと説明された。軍国主義財政と軍閥の台頭は批判されるが、非軍事的な海外進出はむしろ推奨された。のちに浮田や尾崎らが、対華二一カ条要求を歓迎した要因はそこにあった。「立憲主義」と「帝国主義」は、民衆にナショナルな要求があることを前提に、固く結びついていた。「立憲主義」と憲政擁護運動は、こうした課題を提起しつつ、大正期思想空間の形成に強い影響を与えたのである。

さらに詳しく知るための参考文献

松尾尊兊『大正デモクラシー』（岩波現代文庫、二〇〇一／初版一九七四）……大正デモクラシー研究の第一人者による代表的著作のひとつ。松尾の業績については、「松尾尊兊先生の学問的業績を偲んで」（『二十世紀研究』第一六号、二〇一五）、および福家崇洋「松尾尊兊と大正デモクラシー研究」（『人文学報』第一一七号、二〇二一）を参照。
成田龍一『大正デモクラシー』（岩波新書、二〇〇七）……シリーズ日本近現代史の第四巻。第1章「民本主義と都市民衆」は本講の内容を理解するうえで参考になる。なお大正デモクラシーの研究状況全般については、『歴史評論』七六六号の特集「大正デモクラシー再考」(千葉功・住友陽文ほか、二〇一四年二月)、有馬学「「大正デモクラシー」論」の現在」(『日本歴史』七〇〇号、二〇〇六年九月)などが有用である。

栄沢幸二『大正デモクラシー期の政治思想』(研文出版、一九八一)……浮田和民や尾崎行雄らの「立憲主義」を検討し、大正期における政治思想の展開を論じた研究書。同著者による『大正デモクラシー期の権力の思想』(研文出版、一九九二)および「護憲運動と憲政思想」(金原左門編『大正デモクラシー』吉川弘文館、一九九四)も憲政擁護論の影響を考えるうえで参考になる。

姜克實『浮田和民の思想史的研究――倫理的帝国主義の形成』(不二出版、二〇〇三)……浮田の「倫理的帝国主義」に関して、その全生涯を詳細にたどりながら思想的形成を論じた研究書。浮田については、他に宮本盛太郎「浮田和民における倫理的帝国主義の形成」(『法学論叢』第一一二巻三・四号、一九八二年一二月・八三年一月)などを参照。

藤野裕子『民衆暴力』(中公新書、二〇二〇)……憲政擁護運動の前提となる都市騒擾について、日比谷焼打ち事件を題材にその発生の構造が描かれている。同著者による『都市と暴動の民衆史』(有志舎、二〇一五)には、同事件および大正期の都市暴動に関する詳しい分析があり、同時代の知識人運動と民衆暴動の距離感についても知見を得られる。

第2講

天皇機関説論争

住友陽文

†何が問題になったか？

明治末から大正初期にかけての穂積八束《ほづみやつか》・上杉慎吉《しんきち》と美濃部達吉《みのべたつきち》らによる論争を一般には天皇機関説論争と呼ぶことが多いが、のちに述べるようにこの名称は、論争の何が争点になったかを見誤るものである。この論争の争点とは何か、そしていかなる帰結を得たかを本講義では見ていきたい。

論争が起きた時期は、他にも邪馬台国論争（一九一〇年）や南北朝正閏《せいじゅん》論争（一九一一年）があり、のちのアナ・ボル論争につながる堺利彦《としひこ》・大杉栄《さかえ》論争（一九一二年）があった。また論争に至っていないものの、のちの母性保護論争につながる、平塚らいてうと与謝野晶子《よさのあきこ》による女性の位置づけをめぐる議論が登場したのが一九一一年であった（青鞜社《せいとうしゃ》結成がきっかけ）。時代的にも、大逆事件（一九一〇年五月）、韓国併合（一九一〇年八月）、明治天皇死去（一九一二年七月）

などの天皇統治や国家のあり方をゆるがしかねない大事件・大問題が起きていた。そのようななかで論争が始まった。

論争のきっかけは一九一一年夏に用意される。東京帝国大学の教授であったが、憲法学の講義は担当していなかった、公法学・国法学の専門家である美濃部達吉が、同年七月から八月にかけて約一〇回ほど文部省の委嘱を受けて中等教員向けの講習会で帝国憲法について講話した。美濃部は「憲政の智識」が普及していないことを嘆いていたのである（美濃部『憲法講話』有斐閣書房、一九一二）。美濃部より五歳年下で、東京帝国大学で憲法学の講義を担当していた助教授（翌年教授）の上杉慎吉も、憲法に関する国民の知識が乏しいことを嘆いて、同年夏の休暇を利用して、国民教育のために「某県教育会」で帝国憲法について講演を六回行った（上杉『国民教育帝国憲法講義』有斐閣書房、一九一一）。両者はお互いを批判し、それぞれの講演内容はその後それぞれの著書にまとめられた。

上杉は同年一二月に『国民教育帝国憲法講義』を、美濃部はその三カ月後に『憲法講話』を出版した。両著では、国家とは何か、天皇とは何か、天皇の権限とはどういうものか、それらを規定する大日本帝国憲法とはどういうものかが論じられた。

†国家は団体なのか

美濃部達吉の説を「天皇機関説」というより国家法人説と呼ぶ方が、より本質的な議論になる。美濃部は、『憲法講話』などをはじめ、さまざまな著書で、国家とは一つの団体であり、その団体は共同の目的をもつ多数人の結合であり、法律上の人格を有する法人であると繰り返し述べている。国家を法律上は人とみなすということは、国家が権利能力の主体であるということとともに、その国家権力は無制限ではないということを意味する。そして、国家の目的とは「人類の生活を幸福ならしめんこと」であった（『憲法講話』）。これが美濃部による国家の説明であった。したがって美濃部の学説を国家法人説と言う（すでに一九〇七年の著書である『日本国法学』上巻でも展開されていた）。

国家法人説は、美濃部のオリジナルな学説ではなく、指導教官であった一木喜徳郎《いちききとくろう》の講義からも、一八九九年から三年間でドイツ・フランス・イギリスに留学した際に、ドイツで国法学者のゲオルク・イェリネックからも受けた、立憲主義思想の強い学説であった。

法人というのは、自然人以外の団体を権利義務の主体とみなす民法上の概念である。国家の法的な性格を説明する時に民法概念を使うのは、国家と国民個人とを単に支配服従関係としてのみ見ず、相互に権利義務主体として見て両者の上下関係を相対化する効果がある。実際に、美濃部が論争以前から精力的に論究していたのは、国家権力の濫用問題（「権力ノ濫用ト之ニ対スル反抗」『国家学会雑誌』一九〇五年一〇月）や国家が私人の利益を侵害することの問題（「国家カ私人ノ利益ヲ侵害シタル場合ニ於ケル賠償責任ヲ論ス」『法学協会雑誌』一九〇六年二月など）についてであった。

国家を民法上の概念である法人として捉えることで、国家を私人と同様に権利義務の主体としてみなし、両者の関係を支配服従関係としてのみ見ないようにすることで、国家権力の無制限性を否定しようとした。国家権力は、人類生活の幸福達成のためにこそ機能すべきで、そのためにはその権力は抑制されなければならなかったからである。

美濃部は、論争の頃に公法と私法の関係、とりわけ両者の厳格な区別を見直そうとする論文も書いている（「公法ト私法トノ関係ヲ論ス」『国家学会雑誌』一九一三年一〇月）。公法とは国家権力と国民個人との支配服従関係を律する法（憲法、刑法、行政法、国際法など）であり、私法は私人間の関係を律する法（民法、商法）のことであるが、美濃部はこの両者の中間領域を認めようとしていた。たとえば学校という公共機関における学校側の措置によって損害を受ける生徒の問題について、それを学校という権利義務主体と生徒という私人の権利義務主体との関係とみなして、学校側、すなわちその設置者たる公権力の賠償責任を論じようとしていたのである。

法人という私法領域の民法概念を国家に当てはめることで、国家権力の無制限性を否定して国家無答責原則を見直そうとするのが公法学者である美濃部の問題意識であった。

†国家法人説批判

美濃部は、国家には共同の目的があり、その目的のために多数人が合同一致の力をもって結合され、その多数人はそれぞれ異なる立場でそれぞれの役割を果たす機関として活動していると説く。すなわち国家は一つの有機体とみなされた。有機体たる国家の諸機関のなかで最高機関として位置づけられたのが天皇であった。美濃部は、他の国家有機体論者と同様、国家全体を人体に、君主を頭脳に、官僚を手足耳目に、人民を細胞にたとえる。

上杉愼吉（左）と美濃部達吉

国家が団体であり、法理のうえでは人格を有していることを穂積も認めていた（『憲法提要』上巻、有斐閣書房、一九一〇）。また上杉も同様で、一九〇五年に著した『帝国憲法』（日本大学）では、一方で天皇主権説を主張しながら、他方で「抽象概括ノ論理トシテ国家ヲ人格ト見ルカ故ニ天皇ハ国家ノ機関」であると説明していた。国家が法的には人格を有し、天皇が国家の機関の一つであるというのは穂積や上杉も同様であったし、美濃部もそのことを論争中に指摘もしていた。

ただし穂積や上杉が美濃部と異なる点の一つは、国家が法的に人格を持つとはいえ、そのことをもって国家を「法人」とか「有機体」とは言わないことであった。穂積は、国家を法人と捉えるのは「私法的の観念を以て説明したる弊」であると主張する（市村光恵《いちむらみつえ》「上杉博士を難《なん》ず」『太陽』一九一二年七月で紹介された穂積の言）。公法領域の国家権力の問題を私法領域で規律されることについては、穂積は嫌悪感を示していたのである。

国家有機体説は穂積や上杉にとっては、西欧における君主制と共和制の妥協の産物であり、その両者の対立の歴史を持たない日本においては輸入の学説に過ぎず、「冷静に之れを観察すれば、矢張り民主主義」と言うのである（『国民教育帝国憲法講義』）。さらには、統治権の主体が国民全体たる国家に属すとなれば、それは君主がいようが「民主共和国」となってしまうと、上杉は危惧する（「国体に関する異説」『太陽』一九一二年六月）。

上杉が考える国家有機体説や国家法人説の問題点は、それだけではなかった。上杉にとって国家を有機体であるとするのは、国家というものが「人民でもなく君主でもなく、別に国家といふ一の存在物がある」かのごとく扱う議論であった。「国家と個人とは決して之れを離して考へる事は出来」ず、美濃部のように「人民にも非ず君主でもない所の一の生物が居る」かのごとく国家を表現するのは適当ではなかった（『国民教育帝国憲法講義』）。

上杉によれば、美濃部の国家観は、国家を君主や人民とは別の客観的な存在として扱うものであった。実際に美濃部は、一九二三年の著書で、国民個人が日々生まれ死んでいって一〇〇年後に現在の国民がすべていなくなって新陳代謝を繰り返しても、国家は「尚同一ノ単一体トシテ継続ス」ると述べていて（『憲法撮要《さつよう》』有斐閣書房）、実際に自然人としての国民各個人の人格と団体としての国家とは無関係であることは否定できなかった。

上杉は、のちに国家を社会と同一であるという前提で、社会は人間の空間的関係（相関）と時間的関係（連続）で成り立っていると説明し、国家を関係概念で捉えようとした（『国家新論』敬文館、一九二一）。その関係を担保していたのは、端的に言って意識であった。

ちなみに、国家有機体的認識は一九世紀末以降、日本社会に広まった。とくに明治末期の初期社会主義者たちは国家を有機体として捉え、そのなかで資本家や労働者を位置づけようとしたことは松沢弘陽《ひろあき》の研究に詳しい（『日本社会主義の思想』筑摩書房、一九七三）。

また、のちに二《に》・二《に》六《ろく》事件の首謀者たちに思想的影響を与えることになる北一輝《いっき》も、国家法人説と国家有機体説に依拠して穂積八束を批判し、『国体論及び純正社会主義』を一九〇六年に自費出版していた。北は、君主や国民の権利義務は国家に対するものであり、したがってその権利義務の帰属する主体としては国家があり、その国家は必然的に法律上の人格となると述べた。

†主権・統治権の主体

さて、論争における最も重要な争点は、国家権力をどのように位置づけるか、いかに理解するかということであった。とりわけ立憲主義思想においては、国家権力の自己拘束（権力の暴走をどのような仕組みで抑制するか）の問題は重要であるからだ。

統治権を主権と同じものと考え、その国家の最高権力の主体として天皇を位置づけたのが穂積であり、上杉であった。その点を批判した美濃部は、人に命令し強制する権利である統治権の主体は国家であると主張した。当時の学界では孤立した穂積学説の後継者である上杉は、体調を崩して大学教授を辞した穂積から手紙で励まされながら、美濃部の学説を批判した。大日本帝国憲法の第一条に「大日本帝国ハ万世一系ノ天皇之ヲ統治ス」とあるところから明白なように、統治権の主体は天皇であると繰り返した。美濃部はもちろんのこと、かつては穂積学説の影響下にあった市村光恵（京都帝国大学教授）も、この天皇主権説を強く批判した。市村は、この第一条は統治権の主体を規定したものではなく、統治権が「万世一系の天皇」以外の者の介入を許さないことを定めたものだと論じた（「上杉博士を難ず」）。

この主権については、美濃部は主権の原語である sovereignty（最高、至上）の意味から「最高権」と呼び、人に命令し強制する権利としての統治権に対して、主権である最高権は他から命令されない力であると説明した（『憲法講話』）。

美濃部は、君主である天皇が統治権の主体であるとすると、その統治権は君主一身の利益のためにある権利という意味になると天皇主権説を批判する（『憲法講話』）。美濃部は、国家というものは個人としての君主が人民を支配するのではないという。それでは、国家は君主一個人の所有物とされてしまう。それは、領土や人民は君主の世襲財産であるとされてきた、かつての西洋思想であるという。天皇は、団体としての国家認識が進んだ日本において、国家のために国家を代表して統治を行うもので、みずからの私的欲求を満たすために統治権を総攬《そうらん》（「攬」とは抱きしめるという意味）するものではないと主張する。かつて法制官僚の井上毅《こわし》が、わが国の君主制は私有物としての国家を支配する「ウシハク」型統治ではなく、そういう君主の私性《わたくしせい》を排除し、公共物としての国家のために支配するという「シラス」型統治であると、記紀神話の概念から論述したことがあった（鈴木正幸『皇室制度』岩波新書、一九九三）。それに沿って言えば、美濃部は天皇主権説に「ウシハク」型統治の片鱗を見つけ、だからこそそれは日本の国体に合わないとして「シラス」型として、統治権の主体を国家に属せしめ、天皇についてはそれを行使する機関として位置づけたといえる。

ここには、統治権の主体が自然人なのか、非自然人たる団体なのかという争点がある。自然人なら、その者の決断如何によって国家権力の行使が大きく左右されるが、自然人ではない団体なら、国家権力の行使は必然的に制約される。

†天皇とは何か

国家権力は無制限ではないというのが美濃部説の基本であり、したがってその統治権を総攬している天皇の権限もまた無制限ではないのは、当然であった。穂積や上杉のテーゼは一言でいえば「君主即国家」であり、そのもとで無制限の君主権限を主張するものであった。一九三五年の天皇機関説事件によって政治的に優位に立ったのは「君主即国家」であり、天皇を国家の機関であると呼ぶことさえ否定されたのは歴史の知るところである。

ただ、美濃部説は天皇を単なる国家機関と呼んだのではなかった。天皇は国家を代表して統治権を唯一総攬する格別の存在であり、それゆえ天皇は国家の最高機関とされたのである。天皇が帝国憲法で元首とされていることもまた、国家の最高機関であることを意味する。元首とは国家諸機関のなかでのヘッド（頭）だからである。

だが、天皇は主権者で統治権の主体であると考える穂積や上杉からすれば、統治権の主体を国家だと主張する美濃部の学説は天皇主権を否認するものにほかならなかった。彼らにとって法理上の抽象物として国家の意思や権力を想定できても、国家の意思そのものは自然人の意思を離れて存立しないのである（穂積『憲法提要』上巻）。穂積や上杉が重視したのは、権力の主体として自己の力で精神作用を外に向かって発する存在であった。権力とは意思であり、意思とは自然人の精神作用にほかならなかったから、統治権（主権）の主体は自然人たる天皇をおいて他にはなかった（『国民教育帝国憲法講義』）。

上杉は、統治権の総攬者たる天皇の意思は最高の意思であり、独立の意思であり、また絶対的で無制限であると強調する。また、天皇の権力は憲法制定以前に由来するものであり、憲法制定の以前と以後を貫いて絶対無制限であるとされた（同前）。

上杉にとって、国家とは何か、主権とは何かを考える際にきわめて重要であったのは、天皇が憲法上の存在にとどまるものではなく、精神的・内面的な存在ですらあったということである。一九一三年一月の『国家学会雑誌』に「皇道概説」を書いて、内面的な天皇の存在に言及した。人間の能力は有限にもかかわらず、その欲望は無限であって、そのアンバランスのなかで人間は不安を抱えるが、そういった不安におびえる現代社会ではそういった「生」に対する不安を解消するために「無限偉大ナル勢力」の存在を自覚して、その存在と一体となろうとする。その「無限偉大ナル勢力」とはまさしく天皇であると述べるにいたったのである。だからこそ、天皇は統治権の主体でなければならなかった。

†国体論と憲法

穂積も上杉も、憲法が主権の所在をどのように規定するかによって国体が区別されると主張する。すなわち憲法第一条「大日本帝国ハ万世一系ノ天皇之ヲ統治ス」は国体の別(天皇主権)を明示したもので、君主国か共和国かは国体上の区別とされる。それとは違って立憲国か専制国かというのは主権の所在の違いではないので、これは政体上の区別とされる。第四条の「天皇ハ国ノ元首ニシテ統治権ヲ総攬シ此ノ憲法ノ条規ニ依リ之ヲ行フ」という条文は、政体の別(立憲国)を示したものとなる。このように穂積・上杉は、憲法は国体と政体の両者の別をもって構成していると見る(国体政体二元論)。

天皇機関説事件で、美濃部学説が「国体に反する」として排撃されたことを知るわれわれは、美濃部が国体に反逆する学者であると理解しがちである。しかし美濃部にとっても、ある意味、穂積・上杉以上に国体は重要であり、その観点からは明治憲法体制の擁護者であって、この体制に対する革命の予防に余念のない学者であった。

美濃部は、まず国体は法律上の概念ではないので、たとえば国家が君主国なのか共和国なのか、はたまた立憲国なのか専制国なのかは、いずれも国体の別ではなく政体上の別であると言明する。国体は法外の概念であって、それを法学的に問うことはできず、あえて問おうとする上杉らの議論は「不謹慎」であると痛罵する（「国民教育帝国憲法講義を評す」『国家学会雑誌』一九一二年五月）。さらに国体は皇室の尊厳に依存する日本固有のものであり、世界共通の概念で理解できる憲法よりも一段高いところにあるものだとも言う（「近時の政界に於ける憲法問題」『最近憲法論』太陽堂、一九二四）。

美濃部は、「国体」が教育勅語のなかにも出てくるとして、国民道徳と同じ次元の概念として捉えようとする。美濃部は、憲法から国体論を排除して政体の別だけを問う政体一元論に立つと言ってよかった。国体は憲法から排除されたものの、憲法より一段高い場所に位置づけられ、憲法の内容を解釈する際の最も崇高な規範とされた。だから美濃部は、統治権の主体は天皇にあるとする議論を、自然人である天皇が自己のために統治権を総攬する個人主義的な西欧絶対君主制の性質から来るものとして、かえって国体に反すると批判したのである。美濃部にとっては、国体は憲法よりも価値の高いものであって、それゆえ上杉らの議論こそ国体を憲法次元に貶めるものであった。

美濃部はさらに次のように上杉らの主張を批判する。「君主は常に民の心を以て心とし給《たま》ひ、君民心を一《いつ》にして以て国運を発揚す」る点において「我が国体の万国に卓絶せる所以《ゆえん》」であり、それゆえ日本の立憲政体は「永遠に亙《わた》りて其の基礎固く如何なる政治上の変動にも寸毫《すんごう》の動揺」がない。しかし、「今に至りて俄《にわか》に君主専制政治を鼓吹し神授君権説を唱ふる者あらんとは、是れ国体を擁護するものに非ずして却て国体を汚損するもの」であると(「帝国の国体と帝国憲法」『法学協会雑誌』一九一三年六月)。美濃部の憲法論は政体一元論であり、憲法の外に置いて超越させた国体によって立憲君主制という政体を補強していたのである。

†論争以後

論争は、一九一三年になって、美濃部学説の優位が揺るがず、上杉が学問上は美濃部に歯が立たないまま辛うじて弁解を行って幕が閉じられた。大正期から昭和初期の高等文官試験のための受験参考書では、穂積・上杉説と美濃部説の両論併記からやがて美濃部説に重点が置かれていくこととなった(高見勝利「解説」、美濃部達吉『憲法講話』岩波文庫、二〇一八)。

穂積は一九一二年一〇月に亡くなり、後ろ盾をなくした上杉は学界で孤立し、憲法学を逸脱して奔放な論壇活動を行っていく。そのもとに右翼活動家たちが集まった。一方では、君民一体論を基礎とする立場から天皇の意思のもとに国民がこぞって翼賛し、一体となった民意を天皇が代表するという、吉野作造とは異なる「民本主義」を論争直後から展開し、一九一九年からは普選断行論も主張した。また、吉野の「民本主義」を批判して代議制原理を否認しようとした。そこには直接民主制へのシンパシーも見られた。

国家法人説や国家有機体説を批判して、天皇意思の主体的な発露を国家意思と一体化させようとした上杉には、国家という団体のなかで埋没しがちな自然人の決断主体に期待する態度が見られた。こういった主意主義的な国民精神を基礎に国家を造っていこうとすることこそ、「国体の精華」であると上杉は考えたのである。また上杉は、社会契約説を批判しつつも、国家がこのように「我」から出発して作られるものであるとする点においては社会契約説を評価した。このような国民精神と天皇の絶対無限な意思とが一体化し、決断主体を構成するのが理想の国体であるとする点は、穂積から受け継いだものでもあった。

美濃部が必死に守ろうとした団体としての国家に対して、上杉は天皇や国民といった自然人の主意主義の余地を残そうとする考えを対置したといってよい。冒頭で触れた堺利彦と大杉栄の論争にも、唯物論的歴史段階にいかに「生」の主体としての個人が介入するかという論点があった。かつては社会をメカニカルな構造物として認識した幸徳秋水《しゅうすい》も晩年には無政府主義者へと変貌を遂げて、社会の中に埋没していた倫理的に強力な個人を析出させようとした。これら無政府主義者たちの一見空想的な思想的営為と、上杉のような君民一体を基礎として決断主体を立ち上げようとする天皇主権論とは、思想的には案外遠いものではないと思われる。

さらに詳しく知るための参考文献

増田知子『天皇制と国家——近代日本の立憲君主制』（青木書店、一九九九）……天皇制を絶対主義的に見る既往の研究潮流に対して、立憲君主制的側面を置いて、専制主義と立憲主義両者の構造として近代天皇制国家を描こうとした。美濃部学説の持つ不安定性、天皇機関説事件や国体明徴運動の意味についても論究する。

川口暁弘『ふたつの憲法と日本人――戦前・戦後の憲法観』（吉川弘文館、歴史文化ライブラリー、二〇一七）……美濃部憲法学だけでなく、上杉憲法学とそれ以降の国体憲法学については、本書で平易に知ることができる。戦前戦後を通した憲法思想史研究の新しい潮流である。

長尾龍一『日本憲法思想史』（講談社学術文庫、一九九六）……穂積・上杉・美濃部それぞれの憲法学を法学思想の観点から知ろうとするなら、この硬質の著書は避けて通れない。

林尚之『主権不在の帝国――憲法と法外なるものをめぐる歴史学』（有志舎、二〇一二）……主題は天皇機関説事件から敗戦後にかけての不断の憲法改正危機についての論究であるが、美濃部憲法学と国体論との関係については参考になる。

住友陽文『皇国日本のデモクラシー――個人創造の思想史』（有志舎、二〇一一）……上杉の社会認識や「民本主義」イデオロギーについての考察が含まれている。

コラム1 **雑誌メディアと読者**

水谷 悟

大正期には民主主義・社会主義、生命・文化、自由権・社会権、反戦・平和、婦人解放・部落解放など現代につながる思想課題が論じられた。特に吉野作造の論文を契機とする民本主義論争や与謝野晶子・平塚らいてうらによる母性保護論争は多くの議論を呼んだ。

ここで注目したいのはそれらの内容が『中央公論』『婦人公論』など雑誌メディアを介して社会に共有されたことである。当時、思想を発信する媒体は著作の他に新聞と雑誌であった。新聞は日清・日露の戦況報道で社会的信用を高め、資本を投じて情報を迅速かつ正確に伝える日刊紙が主となった。対して雑誌は月刊・旬刊・週刊など様々で、各誌が創刊の趣旨や編集方針のもとで読者層を想定して論説等を掲げ、思想の普及に貢献した。総合雑誌が著名な論客の文章を列ねる一方、刊行期間が意見交換を可能にし論者・記者の議論と読者からの投書で誌面を構成する評論誌が叢生した。

一九一三年一〇月一〇日に益進会《えきしんかい》同人が創刊した雑誌『第三帝国』は、ヘンリック・イプセンの用いた「霊肉一致」の理想文明を示す言葉になぞらえ、江戸封建制・

明治官僚制に代わる日本人の生活に根差した「君民同治《くんみんどうち》の新帝国」の創設を唱え、経費の開示と無名新人の紹介を公約とした（拙著『雑誌『第三帝国』の思想運動』ぺりかん社、二〇一五）。益進会は第一次護憲運動に際し『萬朝報』論説記者として筆を揮った茅原《かやはら》華山《かざん》（一八七〇～一九五二）と彼のもとに集った石田望天《ぼうてん》・野村隈畔《わいはん》・松本悟朗・鈴木正吾による結社で、後に一六名が加わる。同人の多くは明治一〇年代後半～二〇年代前半に生まれ、地元の中学校を卒業後に上京して私立大学や専門学校で宗教学・哲学・政治学などを修めた青年記者で、政治・思潮・社会評論を担当し「国家の生活化」と「国民の自立化」を主張した。

同誌の特色は実践運動の推進にあった。「新憲政擁護運動」と銘打ち山本権兵衛内閣打倒の論陣を張り、営業税廃止運動の一翼を担った。さらに普通選挙を煩悶する青年層の「自我」と国家を結ぶ「愛国」の手段と説き、五名連記の請願用紙を付録として普選請願署名運動を試みた（福家崇洋『戦間期日本の社会思想』人文書院、二〇一〇）。そして一九一五年三月の第一二回総選挙に茅原が東京市より出馬し、論説以外に選挙活動をしない「模範選挙」を展開して第二次大隈内閣による全国的な選挙活動を批判し、国民に政治的覚醒を促した。実践運動と連動して読者の声を届けたのが投書欄「戦闘曲」であった。投書は氏名（または筆名）と居住地を記す形で掲載され、各自が直面する家庭・学校・軍隊・地域などの問題を訴えた。三三号の金子洋文《ようぶん》（秋田県土崎港《つちざきみなと》）「此の醜体を見よ」は制限選挙下の日本の政治を「専制政治」と斥け、「金で出来上がつた傀儡ではないか、私はお前を代表者として選挙した覚がない」と参政権のない屈辱を嘆く。読者の叫びは、一七号の花城生「家族制度を屠れ」、白井公郎（小石川）「増師と生活」が家制度や兵役の閉塞を批判し、富美子（麻布）「全国の婦人に与ふ」が婦人参政権を強く求めて発禁処分を受けるほどの激しさを伴った。学生・地方青年層に加えて女性読者や朝鮮人青年の投書も採用され、記者と読者の立場、性別やルーツを越えて活発な議論・対話を実現する双方向的な言論空間が創出された。

読者の反響に応えて同誌は月刊から半月刊・旬刊となり部数も伸ばした。五名以上の購読者で結成される地方支部が北海道から鹿児島まで全国三三ヵ所に置かれ、最新号の輪読会や講演会が開催された。一九一五年七月には読者の要望をうけて東北講演旅行を実施し、秋田県土崎港町の講演会では先の金子洋文（一八九四〜一九八五）が地区幹事を務めた。茅原に見込まれた彼は上京して雑誌記者となる好機を摑み、己の道を模索していく。

一九二一年二月二五日、金子は土崎小学校の同級生であった小牧《こまき》近江《おうみ》・今野《いまの》賢三《けんぞう》らと雑誌『種蒔く人』を創刊した（「種蒔く人」顕彰会『雑誌『種蒔く人』の射程』秋田魁新報社、二〇二二）。同誌は小牧がパリから持参した反戦思想「クラルテ」を柱に労働運動・小作争議に加えて婦人解放運動や水平社運動とも連携し、労働・知識階級の共同戦線をめざしプロレタリア文化運動を広めた。同誌には「地方欄」「聳人《そびえと》欄」「婦人欄」「生活欄」なる投書欄が置かれ、言動に共鳴する教員・会社員・労働者・農民・職業婦人・詩人らの声を集め、飯田徳太郎・岡本潤《じゅん》・勝目《かつめ》テル・高階《たかしな》梅子・縄田林蔵・堀江彦蔵・八木秋子ら新たな運動の担い手を輩出していく。

雑誌メディアは思想・言論とその担い手の「連鎖」を生む場であり、今日の読者（＝思想の受信者）を明日の論者（＝思想の発信者）に変える可能性を秘めていた。自説を公表する悦びを知った読者の中には投書家・記者・評論家・作家になる道を選ぶ者たちもいた。わたしたちが現代に残されている思想課題と向き合う時、代表的な思想家の言説とともに読者の受容に着目すれば、大正期の思想史が有していた可能性をより豊かに享受できよう。

第3講

民本主義

平野敬和

†民本主義の背景

一九一二年から一四年にかけての民衆運動の高揚は、日本の知識人に新たな時代の到来を印象づけた。デモクラシーの主唱者としての吉野作造《さくぞう》（一八七八～一九三三）、大山郁夫《いくお》（一八八〇～一九五五）、長谷川如是閑《はせがわにょぜかん》（一八七五～一九六九）らは、民衆が政治的に登場するという情勢を受けて、従来の政治体制の変革を求める運動を活発化させるための言論活動を展開した。とくに一九一六年以後の民本《みんぽん》主義の主張は、天皇主権という大日本帝国憲法の枠組みを前提とする形でも、デモクラシーの原理を追求することが可能であることを世論に訴え、普通選挙制の導入と政党政治の確立に向けた原動力となった。

民本主義という言葉は、『萬朝報《よろずちょうほう》』の記者であった茅原華山《かやはらかざん》（一八七〇～一九五二）が、一九一二年より「貴族主義・官僚主義・軍人政治」の対立概念として使用していた。そしてこの言葉に新たな意味を与え、デモクラシー運動の理論的指導者となったのが、政治学者の吉野作造である。彼が一九一六年一月、『中央公論』に発表した「憲政の本義を説いて其《その》有終の美を済《な》すの途《みち》を論ず」は、民本主義に基づき、従来の寡頭《かとう》政治＝藩閥支配に代わる立憲政治を確立することから、新たな政治的主体を立ち上げる政治理論を提起するものとして注目された。それは、美濃部《みのべ》達吉《たつきち》（一八七三〜一九四八）や佐々木惣一《そういち》（一八七八〜一九六五）が天皇機関説を掲げ、議会を中心とする立憲政治の法的根拠を基礎づけたことと思潮を同じくしていた。

吉野は一九一〇年から三年間ヨーロッパに滞在し、民衆運動や立憲政治の実態を見聞きしていたので、日本の民衆運動の高揚は、彼の言論に絶好の機会を与えた。『中央公論』は一九一四年四月、「民衆の勢力によつて時局を解決せんとする風潮を論ず」という特集を組み、吉野、浮田《うきた》和民《かずたみ》（一八六〇〜一九四六）、林毅《き》陸《ろく》（一八七二〜一九五〇）、永井柳太郎《りゅうたろう》（一八八一〜一九四四）の

(17) ——憲政の本義を説いて其有終の美を濟すの途を論ず——

公論

憲政の本義を説いて其有終の美を濟すの途を論ず

法學博士　吉野作造

去年十二月一日より東京に開かれたる全國中學校長會議に於て、高田新文相が特に訓示を與へて立憲思想養成の急務を説きたる事と、水戸中學校長菊池謙二郎氏が起つて大隈内閣の居据りと立憲思想との關係の說明を求めて文相に肉薄した事とは、著しく世間の耳目を聳かした。訓示の一節に曰く。

從來歷代の文部當局者も中學校長會議に同樣の訓示を發せし事之れまであつたか如何かは、予の明知せざる所なれども、多年野に在りて立憲思想鼓吹の必要を唱へ來りし高田氏の事なれば、今度

吉野作造「憲政の本義を説いて其有終の美を済すの途を論ず」（『中央公論』1916年１月号）の最初の頁

論説を掲載した。そこで吉野は「民衆的示威《じい》運動を論ず」を発表したが、その内容は「憲政の本義を説いて其有終の美を済すの途を論ず」における憲政論の重要な部分を占める民衆政治論として注目される。

吉野は「民衆的示威運動を論ず」において、「民衆政治と云ふものは是れ一の勢である、世界の大勢である」と述べ、従来の藩閥政治を打破するには民衆の力によるしかないと論じた。そして、運動を引き起こす「非立憲的」状況を改めることにより、立憲政治において民衆の占める位置と果たす役割を明確にすることを試みた。吉野はまず、民衆がその政治的意思を社会的に表明することは、憲政の発達にとって喜ぶべき現象であるという立場を示した。また民衆政治は天皇主権の原理に反するという主張に対して、法律論と政治論を区別することから、民意に基づく民衆政治の確立を主張した。さらに立憲政治における民衆の政治参加の意義について、狭義の政治的判断よりは、むしろ候補者の「人格の判断」という道徳的な面を強調した。これは、吉野のキリスト教信仰、すなわち民衆政治の発展には宗教の力によって人民の道徳性を陶冶《とうや》することが必要であるという信念に基づくものであった。

†民本主義の内容

この時期を代表する思想として知られる民本主義は、吉野の「憲政の本義を説いて其有終の美を済すの途を論ず」において、一つの体系的な理論として提示された。この論説で吉野は、「近代各国の憲法」が共通の精神として立脚しているのが、デモクラシーすなわち民本主義に他ならないと説く。民本主義とはdemocracyの訳語の一つであり、「国家の主権の活動の基本的の目標は政治上人民に在るべし」との意味であると述べ、少数のエリートに政治を任せる代議制のもとで、国政に一般民衆の意思を反映させようとした。吉野の民本主義は国民主権に立脚した民主主義ではなく、「国体の君主制たると共和制たるとを問はず」と述べているように、天皇主権か国民主権かという主権の所在に関わりなく、政治の目的が一般民衆の利福にあること、政策の決定が一般民衆の意向によることを求めるものであった。それは、従来の寡頭《かとう》政治＝藩閥支配に代わって、立憲政治を確立するために、新たな政治的主体を立ち上げる政治理論であった。

吉野は、代議制度論や普通選挙論が議論に上がるなかで、それらは時代の要請する政治的権利の拡大要求に応えるために必要であると考えた。政党内閣制の確立と二大政党による政権交代の必要性を説き、天皇大権という法制度上の建前のもと、実際には藩閥支配が横行している状況を改善することを求めた。吉野の民本主義論は、実際の国家主権が発動される場にいかにして民衆の意思を反映させるのか、またその制度を保障する立憲主義の精神をどのようにして貫徹するのかという問題を提起するものであった。その意味では、帝国憲法下の天皇は政治権力の主体として存在意義をもつのではなく、その主体を掣肘《せいちゅう》する民衆を統括する役割を担うものと考えられた。

また吉野の民本主義論には、政治概念の自律性を獲得するという関心があらわれていることを指摘できる。

民本主義は政治上の主義であつて法律上の説明ではない。法律上主権は君主に在りとして、其主権者が主権を行用するに当り、如何なる主義方針に拠るべきかといふ時に、民本主義は現はれ来るのである。

このように吉野の民本主義論は、主権の所在ではなく主権の行使という実際の政治的作用の及ぶ場に有効な政治理論を提示することに目的があった。ここに、政治学の国法学からの自律を企図して、国家主権の概念を「所在」と「運用」の二方面に分けた吉野の学問的成果を読み取ることができる。そのうえで吉野は普通選挙制度に基づく政党内閣制・議院内閣制を支持し、それによって民衆が議会を監督し、議会が政府を監督するという、代議政治を実現させようと考えた。

実際の政治機構のなかでは、「民本政治であると同時に貴族政治」を推し進めるのが代議政治の本質であると述べている。すなわち、「政治的に見れば、多数の意嚮《いこう》が国家を支配するのであるけれども、之を精神的に見れば、少数の賢者が国を指導するのである」。吉野は、議員が民衆を指導し、かつ民衆の監督を受けるという関係を樹立することが必要であると考えた。デモクラシーを機能させる要因として重視されたのは、民衆の政策的判断よりも、道義的判断能力である。そのために吉野は、憲政に関しては、人民の智徳の発達がともなわなければならないと考えたのである。

†民本主義論の波紋

吉野の民本主義論は、時代状況に見合うものとして大きな反響を呼んだ。彼が後に「民本主義鼓吹《こすい》時代の回顧」(『社会科学』一九二八年二月)で回想しているように、この論文が出た後に、さまざまな雑誌で吉野の議論を批判しながらデモクラシー論を展開する論文が出て、「爾来斯《じらいこ》うした方面の政治評論は頓《とん》と隆盛を極むるに至つた」という。

それを受けて、吉野は二年後に、「民本主義の意義を説いて再び憲政有終の美を済すの途を論ず」(『中央公論』一九一八年一月)を発表し、民本主義を再定義した。「憲政の本義を説いて其有終の美を済すの途を論ず」では、民本主義には政治の目的と政策の決定という二つの内容があると説いた。それに対してここでは、両者が同一の民本主義の二つの内容なのではなく、民本主義という言葉が「政治の実質的目的」についての思想と、それを有効に実現する「政権運用の方法」に関する思想という、二つの別個の思想を表現するものとして区別した。そして前者を「相対的の原則」に過ぎないと主張し、民本主義を政権運用の問題に限定した。それによって、政権運用に関しては民意尊重の原則のうえに政治上の制度を立てること、すなわち「参政権の賦与」を求めたのである。

　吉野の民本主義論については、さまざまな立場から意見が出された。民主主義と民本主義の区別に着目する形で批判したのは、山川均《ひとし》（一八八〇～一九五八）である（「吉野博士及北教授の民本主義を難ず――デモクラシーの煩悶《はんもん》」『新日本』一九一八年四月）。吉野が後に、「民主主義と卒直に云つては其筋の忌諱《きき》に触れる恐《おそれ》がある、之を避けて斯んな曖昧《あいまい》な文字を使つたのかと非難されたことも稀《まれ》でない」（「民本主義鼓吹時代の回顧」）と述べているのは、山川ら社会主義者が吉野の民本主義に対して、主権の所在を問わず民主主義を切り離したと攻撃したことを意識しているのであろう。ただ山川の批判に、吉野が直接答えることはなかった。吉野から見れば、山川ら社会主義者はデモクラシーの進展のために提携すべき相手であった。

　むしろ吉野が意識していたのは、上杉慎吉《しんきち》（一八七八～一九二九）に見られるような、君主主権主義の立場である。上杉は「民本主義と民主主義」（『東亜之光』一九一三年五月）において、民本主義を歴代の天皇が「治国の精神」としたものと位置づけ、その精神は「国体の精神」ということができるとした。それゆえ、「君主の道徳の根本義」——民本主義に、デモクラシーを取り入れる必要はないというのが、彼の考えであった。また上杉は「我が憲政の根本義」(『中央公論』一九一六年三月)において、議会政治・政党政治は明治維新の精神である「民本主義の担当者たる天皇の親政」に背くものであると批判した。

吉野は民本主義論において、注意深く国体論との衝突を避けていたにもかかわらず、一九一八年一一月、国家主義団体の一つである浪人会との立会演説会という形での対決を招いた。これは、政府・検察並びに右翼団体による大阪朝日新聞を攻撃目標にした言論抑圧事件に対して、吉野が「言論自由の社会的圧迫を排す」(『中央公論』一九一八年一一月)を発表したことに端を発していた。演説会では、吉野を支援するため、学生・市民が会場となった東京神田の南明倶楽部《なんめいくらぶ》につめかけたという。この演説会の開催は、後に黎明会《れいめいかい》や新人会といった、知識人や大学生を中心とするデモクラシー運動を推進する団体を形成するきっかけとなった。

†帷幄上奏をめぐる議論

吉野はこの後、憲法のもとでの政党内閣の主導性を論じると同時に、軍部、貴族院、枢密院など非選出勢力の批判を展開する。吉野がもっとも問題としたのは軍部であり、とりわけ帷幄《いあく》上奏《じょうそう》をめぐる議論は、政府や議会が統制することのできない国家機関の存在とそれを支える法規や慣行を、民本主義の立場から批判したものとして注目される。

帷幄上奏とは、国政上、軍機・軍令に関して内閣から独立して行われた上奏をいうが、それについて吉野は、軍事を国務大臣の輔弼《ほひつ》の範囲から除外し、内閣外の天皇に直属する軍部の専権事項とする点を問題とした。すなわち、参謀総長や海軍軍令部長が直接天皇に服属し、政府や議会の統制を受けることなく、国防や用兵に関する決定機関として「二重政府」を形成していると批判した。そして陸海軍大臣武官任用制の廃止と参謀本部や海軍軍令部の改革を唱えたうえで、憲法のもとでの政党内閣の主導性を、軍の統帥《とうすい》権にまで及ぼそうと試みる。

> 政府の輔弼以外に別個の国権発動の源泉を認むることになるから、所謂二重政府の非難も起るのである。而《しか》して斯う云ふことが制度上許されて居るから、我々は多年之を改めたいと考へて居たのである。帷幄上奏の非難は、畢竟《ひっきょう》斯《か》かる変態的制度をやめ、一切の国務を政府の輔弼範囲に包容し、以て国権の統一的活動を期せんとの要求に外ならぬのである。（「所謂帷幄上奏に就て」『東京朝日新聞』一九二二年二月一三〜一四日、一七〜一九日）

この文章はワシントン会議の後に発表されたものだが、当時、軍事のどの部分が帷幄上奏の範囲に入るのかについては見解が分かれていた。上杉慎吉は『帝国憲法述義』（有斐閣、一九一八）において、帝国憲法第一一条の規定する軍の統帥についてはもちろん、第一二条の規定する軍の編制及び常備兵額の決定についても、帷幄上奏の範囲に入るとした。それに対して、美濃部達吉は『憲法講話』（有斐閣、一九一二）において、軍の統帥（「軍令権」）は帷幄上奏の範囲であるが、軍の編制及び常備兵額の決定（「軍政権」）は国務大臣の輔弼を要するという見解を示していた。

吉野は両者の説に批判的であり、統帥権が親裁事項であることは、立法権や司法権と異なるところはないとした。そしてその間に区別があるとして統帥権だけを国務大臣の輔弼の外に置くのは、誤解であると主張した。吉野は立憲政治のもとで、天皇の活動は議会を通して民衆の前に示される必要があり、そのためには政府の各大臣の輔弼によらない天皇の活動があってはならないと考えたのである。それは、憲法における天皇大権と統帥権の独立という壁に阻まれながらも、いかに民衆に基盤を置く政党政治を発展させるかに腐心《ふしん》した吉野ならではの議論であった。

†民本主義と社会主義

第一次世界大戦後、吉野はデモクラシーとともに社会主義への関心を深めたが、デモクラシー論の見直しに取り組むなかで、民本主義が社会主義と矛盾しないことを唱えるようになる。

とくに吉野は国際共産主義運動のインパクトを受ける形で、社会民主主義と共産主義の岐路を見定め、前者の立場から民本主義と社会主義の関係について論じた。そこには、急速に広がる労働運動に対する態度表明という意味が込められていた。

吉野は「民本主義・社会主義・過激主義」(『中央公論』一九一九年六月)において、民本主義の二大要求として、普通選挙など「政治的形式の整頓」だけではなく、「国民生活の実質の整頓」をあげ、そのなかに言論や信教の自由などとともに「社会政策」を含めた。そして今日の民本主義は、「各種の階級を包括する全体の有機的組織中に於ける」プロレタリアートの優越の地位を認めるに至ったとする。その一方で、社会主義の発展と、その「立憲主義」と「革命主義」=「過激主義」への分化を、次のように描き出す。

> 民本主義の過激主義と相容れざるは前述の通りであるが、社会主義とは如何と云ふに、少くとも共に立憲主義を根拠に有《も》つ点に於ては両立し得る。而して社会主義は其理想実現の手段として普通選挙を主張するが、此点も民本主義と両立する。但し民本主義は普通選挙の施行並に政権の普及に伴ふ其他の種々の政治的形式の整頓を或る目的の手段と見ず、夫自身の目的とする点に於て社会主義と異なる。

そのうえで吉野は、「民本主義者は必ず社会主義者であるとは限らないが、然し社会主義者であつても妨げはない。けれども断じて過激主義者たる事を得ざるものである」と述べて、共産主義運動に対抗しつつ、普通選挙と議会制を通じて多数者の利益を実現する道を取ることから、寡頭支配の打破を掲げた。

長谷川如是閑は「政党主義の樹立と其自壊作用」（『太陽』一九二〇年八月）において、「労働運動は本質上、政党否認であるべき筈《はず》である」という立場から、「所謂「政治」によつては、社会の進行は困難となり、新らたに「社会的」なる運動が起つて、これに変ることになる。それは、立憲主義でもなければ政党主義でもない。さういふものゝ、自己破壊から、新らたに起る新しい意味の政治なのである」と述べた。この文章は、民本主義の時代が一九二〇年代に入って急速に転回する状況を巧みに表現しており、労働運動、農民運動、社会主義運動の左傾化とともに進行した政治否認説の台頭を印象づけるものである。

それに対して吉野は、「我々は全人国家の理想に立つが故に資本家階級も労働者階級も自由なる発言権を有する有機体其物に最高の権能を認めたい」（「労働運動に於ける政治否認説を排す」『中央公論』一九一九年八月）として、政治否認説に反対した。そして、「僕は今なほ団体生活上の或る意味の理想としてデモクラシーを奉じ、政治上の制度としても所謂デモクラシーに執着して居るものである」（「感想一篇――板挿《いたばさ》みになつて居るデモクラシーの為めに」『明星』一九二二年四月）

と述べた。吉野の立場は、議会政治に基づき、プロレタリア独裁を否定する社会民主主義であった。

一九二五年の普通選挙法の制定と政党政治の確立は、デモクラシー運動の成果であった。吉野は一九二六年には、安部磯雄《いそお》（一八六五〜一九四九）や堀江帰一《ほりえきいち》（一八七六〜一九二七）とともに、社会民主主義派の無産政党である社会民衆党の立ち上げに関わった。そこでも吉野が重視したのは、無産政党を含めた政党政治の監督者及び批判者としての民衆の育成であった。吉野はかつて民本主義論において二大政党制を唱えたが、この時期には現実の政党の地盤政策と利益ばらまき政治に対して批判せざるを得なかった。立憲政友会と憲政会によって政党内閣制が確立するに至って、これらの地盤政策と利益政治が「我国政弊《せいへい》の根源」として中心的なテーマになった。無産政党はこうした政治風土を打破する勢力として、既成政党、政党政治システムを改革するものとして支持された。無産政党は二大政党のどちらに対しても政策協定を結ばないことによって、存在感を示すことがめざされた。

ただし思想としての民本主義は、マルクス主義の浸透により影響力を失っていった。労働運動、農民運動などの社会運動は、一九二〇年代後半から三〇年代初めに最盛期を迎えるが、それらはマルクス主義の影響を受ける形で展開されたのである。

さらに詳しく知るための参考文献

松尾尊兊『民本主義と帝国主義』（みすず書房、一九九八）……民本主義知識人たちが近代日本の帝国主義にいかに関わったかを研究課題とする著作である。この課題は「大正デモクラシー」研究を牽引した著者の主要な研究テーマであった。

田澤晴子『吉野作造――人世に逆境はない』（ミネルヴァ書房、ミネルヴァ日本評伝選、二〇〇六）……吉野作造に関する評伝である。吉野の出身地である宮城県（古川）との関わりも詳しく論じている。

松本三之介『吉野作造』（東京大学出版会、二〇〇八）……吉野作造の政治思想を通史的に描いた著作である。吉野の思想形成過程を辿り、彼のデモクラシー論の特質と問題点を考察している。

三谷太一郎『大正デモクラシー論――吉野作造の時代　第三版』（東京大学出版会、二〇一三）……吉野作造を中心に、「大正デモクラシー」を日本におけるリベラル・デモクラシーの形成過程と見る著作である。著者は政党制の確立過程を重視して、「大正デモクラシー」の特徴を考察している。

出原政雄・望月詩史編『「戦後民主主義」の歴史的研究』（法律文化社、二〇二一）……「戦後民主主義」の内容・特質を、近現代日本の民主主義の歴史的展開のなかで探究した論文集である。本講は、ここに収められた平野敬和「吉野作造のデモクラシー論・再考」の内容をもとにしている。

コラム2 生存権の思想

武藤秀太郎

今日、生存権と聞いてまず思い浮かべるのは、日本国憲法第二五条であろう。第二五条は、第一項で「すべて国民は、健康で文化的な最低限度の生活を営む権利を有する」と、国民の生存権を定めている。そして、第二項では「国は、すべての生活部面について、社会福祉、社会保障及び公衆衛生の向上及び増進に努めなければならない」と、国の義務が明記されている。歴史をさかのぼると、この生存権という概念を学術的に用い、日本社会に広めた人物として、経済学者の福田徳三(一八七四~一九三〇)にゆきあたる。

日本が工業化を推し進めていた一八八〇年代以降、貧困や過酷な労働条件、公害といったさまざまな社会問題が噴出した。これを解決する方策として、日本で大きな影響力をもったのが、ドイツの歴史学派に由来する社会政策論である。福田も歴史学派の重鎮であるルヨ・ブレンターノから学んだ社会政策論者の一人であった。

さらに二〇世紀に入ると、体制転換により問題を一気に解決しようとする社会主義思想が日本を席巻した。「社会主義には誤謬が多いが、一個の哲学がある。社会政策は正しいものの、何ら哲学をもっていない」。こう考えた福田は、社会主義に対抗するためにも、社会政策がしっかりした根本思想をもつべきだと主張した。そうして福田自身が標榜したのが、「生存権の社会政策」である。一九一六年のことであった。

福田は最低賃金制度や国民保険法、無拠出制老齢年金など、イギリスがうちだした一連の政策に注目した（武藤秀太郎『近代日本の社会科学と東アジア』藤原書店、二〇〇九）。そして、オーストリアの法学者アントン・メンガーの学説によりつつ、「生存権の社会政策」をうちたてた。生存権がなぜ、社会政策の根本思想となりえるのか。福田は生存権がいかなる時代においても、あらゆる人に共通する普遍的欲求であることを指摘する。生存権を充たすことこそが、社会政策のはたすべき使命だというのである。福田は一九一八年夏に起こった米騒動も、生存権要求が発露したものととらえ、その解決をうったえていた。

米騒動の翌年にあたる一九一九年二月八日、韓国併合で日本の植民地下におかれていた朝鮮の留学生たちが、東京で独立宣言書を公表した。この二・八朝鮮独立宣言書で目を引くのは、「吾族は生存の権利の為《た》め、独立を主張するものなり」と、日本により脅かされた生存権の回復をうたっている点である。これを起草したのは、早稲田大学で学んでいた李光洙《イ・グァンス》（一八九二〜一九五〇）であった。

二・八朝鮮独立宣言書には、朝鮮語のほか日本語および英語版があり、いずれも李光洙が作成した。日本語に精通した李は、オピニオン・リーダーであった福田の主張も承知していたであろう。ほどなく三月一日に朝鮮半島で起こった三・一独立運動で読み上げられた独立宣言書にも、「生存権」という文言を確認することができる。こうして生存権は、朝鮮独立運動を根拠づけたのであった。

他方でこの時期、生存権を根本思想とすることに異論もあった。ここでは、その一例として経済学者の森本厚吉《こうきち》（一八七七〜一九五〇）をとりあげたい。

「従来叫ばれていた生存権の提唱は、今日では生活権の主張に変ぜねばならぬ」。森本は一九二一年に出版した『生存より生活へ』で、こう提唱していた。生存することだけにあくせくする時代は終わり、我々は文化的生活を享受しなければならない。ただ、そのためには、従来の生活にみられる浪費を省き、合理化をはかる必要がある。森本は「中流階級」を標準とした上で、その生活をひろく「下流階級」にもゆきわたらせようと、さまざまな改善策をうちだした。

こうした森本の主張の背景には、文部省が音頭をとり、彼自身も関わった生活改善運動があった。文部省は一九一九年一二月、東京教育博物館で生活改善展覧会を開催した。家事や被服の節約方法などが展示され、約二ヵ月間で一一万人の入場者を集める盛況となった。また、教育関係者らを中心に生活改善同盟が発足し、全国的に生活改善運動を展開していった。生活改善運動は第二次世界大戦を経て、戦後までつづいてゆく。

福田は森本および生活改善運動をきびしく批判した。いわく、いまだ多くの労働者が満足な賃金も得られていないのに、生活の改善とは馬鹿げている。「中流階級」を標準とすること自体、貧困にあえぐ人々を無視した暴論にほかならない、と。福田には、生活権の提唱が、生存権すらままならない現状をおおいかくすものと映ったのである。

このように福田のいう生存権は、文字通り死なずに生き抜く権利であった。もちろん、憲法第二五条で説かれている内容は、これと大きなズレがある。むしろ、森本が唱えた生活権に近い。ただ、辞書によっては同義と説明されているように、我々は通常、生活権の意味合いでも生存権を用いている。生存権という言葉が広く普及したのは、それが歴史的にリアリティをもってうけとめられたからであろう。

第4講

教養主義

松井健人

†「歴史」としての大正教養主義

本講義では大正期における教養主義、すなわち大正教養主義について思想史的な観点からみていきたい。これまで、大正教養主義とは日本における教養主義の発端であると位置づけられてきた（筒井清忠編『大正史講義【文化篇】』ちくま新書、二〇二一、第4講を参照）。そして、（大正）教養主義とは、「文化の享受を通しての人格の完成」（筒井清忠『日本型「教養」の運命』岩波書店、一九九五）として、あるいは「人文学の読書を中心にした人格の完成を目指す態度」（竹内洋『教養主義の没落』中公新書、二〇〇三）として解釈されてきた。「読書（文化）活動を通した人格の形成（完成）を目指す態度」が、ひとまず「教養主義」の最大公約数的な理解として存在するといえるだろう。ただし高田里恵子が指摘するように、「教養主義」という言葉の日本的文脈の固有性として、人格主義と教養主義がほとんど一体化しているため、両者を分離して定義あるいは考察することは困難である（高田里惠子「人格主義と教養主義」『日本思想史講座4　近代』ぺりかん社、二〇一三、一九二頁）。また、研究上の文脈として、竹内洋《よう》に代表される、「教養主義」を読書行動として捉え、中長期的視点で読書文化・文化活動をとらえる視点（つまり、「教養主義」という語句を分析概念として用いる方法）が盛んであることも記したい。これに対して本講義では、「大正教養主義」というものがどのような歴史的磁場のもとで生み出されていったのか、この点に着目して論を進めていきたい。

まず、大正教養主義を生み出した世代として指摘されるのが、東京帝国大学教師ラファエル・フォン・ケーベルの門下生、つまりは『三太郎の日記』を生み出した阿部次郎、そして安倍能成《よししげ》、和辻哲郎といった旧制第一高等学校から東京帝国大学の学校歴をたどった同世代の哲学者たちである。前述の筒井・竹内ともケーベル、ならびに彼に学んだ阿部次郎、安倍能成、和辻哲郎らを教養主義の創始者として捉えている。しかしながら、従来の研究ではこの大正教養主義の歴史的実態の解明が不十分であった。

本講義では、分析概念としての「教養主義」の名のもとで看過されがちであった、歴史的実態としての大正教養主義の生成を明らかにしてゆく。なお、分析概念としての「教養主義」と、大正教養主義を代表する人物（阿部次郎、安倍能成ら）との表記の混同をさけるため、後者を「大正期教養派」と本稿では示す。次節以降では、大正期教養派である阿部次郎、安倍能成や和辻哲郎はどのような環境で学んでいったのか、その周辺ではどのような思想が提唱されていたのかについて確認していきたい。先に言えば、歴史的に「大正教養主義」の生成・展開局面を明らかにしていくことによって、これまでの解釈では見過ごされてきた側面が、まさに「思想史」としても明らかになっていくだろう。

なお本講義の問題意識を、近年の思想史研究の成果を踏まえて言い換えれば、「概念に定位してその相互連関や時系列的な変遷」に着目することと「そうした概念を産み出し改変する個人の言語活動」に着目することとの差異にある（河野有理『偽史の政治学』白水社、二〇一七、序章）。「教養主義」に関しては、これまで紹介した筒井・竹内に代表される前者の観点が、研究視角としての優秀さも相まって優勢であった。しかしながら、後者の大正期教養派の「個人の言語活動」を見落としてはならない。というよりも、大正教養主義を生み出した人びと（大正期教養派）は、「教養主義」を結局遂行できたのか。この点を実証的に分析することで、大正教養主義とは何であったのかについて示唆を得ることができるだろう。

以下では、明治末期から大正期にかけての旧制第一高等学校、東京帝国大学、そして阿部次郎『三太郎の日記』（大正三年）、大正三年以後の阿部次郎と、順にみていく。

†旧制高等学校とドイツ語

大正教養主義に関して言及がなされるとき、通例、大正教養主義は大正期に栄えた「古今東西の古典の乱読」(高田里惠子、前掲論文)を基軸とした学生文化として理解される。同時に、カント、ヘーゲル、ゲーテ、ショーペンハウアーといったドイツ古典がその読書内容として言及されることがしばしばあり、大正教養主義とドイツ語の親和性が指摘されてきた。

では実際に旧制第一高等学校では、どのようなドイツ語の教育課程が設計されていたのか。現存する「第一高等学校独逸語科科目教授法及科程」(明治三四年)には、以下のようにドイツ語教育の目的が掲げられる。「必須欠くべからざる単語及び成語と音声、文字、語法に関する知識とを授けてこれを実地応用の練習を行い音声、文字を以て自己の思想を発表し又た音声、文字を以てせる他人の思想の発表を理会するに必要なる普通の知識と能力とを養成し独逸語を以て専門学を研究するに堪ゆる語学の基礎を授くるに在り」。このように、現在の術語を用いるなら、「聞く・読む・話す・書く」の四技能の涵養を目指す姿勢が示されている。しかし、旧制第一高等学校のドイツ語教育を回想する文章群を参照する限り、この教育理念が現場に反映されることはほとんどなかったようだ。

たとえば、旧制高等学校のドイツ語教師として有名な岩元禎《いわもとてい》(夏目漱石『三四郎』の登場人物・

広田先生のモデルになった）は、暗記一辺倒のドイツ語教育を数十年にわたって続けてきたことが知られている。彼の授業を受けた天野貞祐《ていゆう》がドイツ語授業を振り返るには、「教科書はヒルティの『幸福論』であった。先生は生徒には読ませずご自分でどしどし訳してゆかれるという教え方であった」という（ドイツ語授業に関する学生の回想については松井二〇二〇aも参照）。

「第一高等学校独逸語科科目教授法及科程」とは異なり、一方的に自分が選定した教科書をひたすらに訳していく。長年、旧制第一高等学校でドイツ語授業を担当した岩元の授業方法は、ドイツ語原書を一時間で六頁進み、生徒には一回も読ませずにひたすら自分だけ訳出していくものであった。また、単に訳出主体なだけではなく、ドイツ語授業では独特の発音と訳語を使った。たとえば、高橋佐門が指摘するには、Mögen を myogan と発音し、die Ahnung は「予感」ではなく「胸通じ」、Dorf は「村」ではなく「鄙《ひな》」、Kirche は「教会」でなく「寺院」、Harr も「髪」でなく「髪毛《かみげ》」と訳出するといった具合であり、かつこれらの岩元の訳語通りに試験問題を回答しなければ落第することになるのであった（高橋佐門『旧制高等学校の教育と学生』国書刊行会、一九九二）。さらには、旧制第一高等学校には外国人ドイツ語教師がいたが、彼らもまた暗記一辺倒のドイツ語教育を続けていたことが知られている。

当然、暗記一辺倒のドイツ語教育ではあくまで科目に対して元から適性がある生徒が伸びていったに過ぎない。語学ができるか否か。この点は実のところ、旧制第一高等学校卒業後に多くの生徒が進学することになる東京帝国大学においても尾を引くことになる。

†帝大教師ケーベルと大正期教養派

大正教養主義の生成を考える際、語学力が直接的に影響してくるのはまさしく東京帝国大学文学部教師であったケーベルとの関わりにおいてである。ケーベルはこれまでの研究においても大正教養主義の「起源」として評価されてきた。

しかしながらこれには、「日本語を介さずにケーベルと直接会話できたこと」という限定が入る。ケーベル自身は、日本語を一切習得する気はなく、英語またはドイツ語のみで教師生活をつづけた人物であった。またそもそもケーベルは日本の文化・日本の学者を評価せず、講義でも専らギリシア・ローマ、そしてドイツの文化・哲学の重要性を説き続けた人物であった。ドイツ語・古典語習得に熱心な学生を高く評価していたが、彼の説く語学習得が広く学生間で達成されたとは言い難く、古典語・ドイツ語の覚えの悪い東京帝大生への愚痴をエッセイに綴ることもあった。「私が随分屢々学生に［哲学に関する洋書の読書を］推薦したものであるが、然しそれも、私の知れる限りでは、唯だ三人しかそれを読まなかった所を以て見ると恐らく徒労に終ったらしい」とケーベルは彼のエッセイ集『続小品集』で記している。

学生の側からみても、ドイツ語で教育・研究を行ってきたケーベルの英語講義を正確に理解できた学生はごく少数であった。大半の学生はケーベルの風貌を半ば鑑賞物かのように見て、試験で適当な答案を仕上げ、これまたケーベルの適当な採点を経て単位を取得する（白紙でも合格点をもらえることがあった）という光景が常態化していた。後に学者として大成する当時の学生らも以下のように、ケーベルの講義を理解困難なものとして回想している。たとえば、「先生の講義で大学在学中に聴講したのは哲学史の一部と哲学概論にすぎなかった。それもよく分からなかったし、特に熱心でも、又多くの時間を割く余裕もなかった」（上野直昭《なおてる》・美学者）のであり、あるいは「講義には出ていたが、内容はよくわからなかった」ため、「学年試験は、哲学に関しては中世史の概略を書き、美学にはラオコーン論に就いて所感を書いて誤魔化して置いた」（紀《き》平正美《ひらただよし》・哲学者）、さらには「私の語学力の不完全と先生の変挺に発音される英語——概論はドイツ語でなくて英語で講義された——との故に殆ど内容的には何らの学得するところなく、ただ言はば物好きな聴講者の一人として先生の風貌に接したというに過ぎない」（出隆《いでたかし》・哲学者）といった状況であった（これらの学生の回想に関しては松井

ラファエル・フォン・ケーベル

二〇二〇bを参照)。

一方で、ケーベルと直接会話することができた学生たちは、ケーベルの私宅での交流を行うことができた。この少数の学生たちが阿部次郎、安倍能成、和辻哲郎をはじめとする大正期教養派であったのだ。この点に関しては、三木清の「教養の観念は主として漱石門下の人々でケーベル博士の影響を受けた人々によって形成されていった。阿部次郎氏の『三太郎の日記』はその代表的な先駆で、私も寄宿寮の消灯後蠟燭の光で読み耽ったことがある」(三木清「読書遍歴」『三木清全集 第一巻』岩波書店、一九六六)という言及が最も知られているところである。

†人格・社会のための読書と躓き――阿部次郎『三太郎の日記』

前述のような旧制高等学校、東京帝国大学の環境に学び、大正教養主義の代表格となる人物が、阿部次郎、安倍能成であった。この二人はケーベルとも交流が深く、それぞれ First Abe(阿部)、Second Abe(安倍)とケーベルから独自の呼び名をもらっていた点も共通していた。特に、大正教養主義を代表するベストセラーである『三太郎の日記』(大正三年)を刊行した阿部次郎は、大正教養主義の「チャンピオン」とも評される人物であった。

では、大正教養主義を代表する著作である『三太郎の日記』にはどのような内容が書かれているのか。このように記したものの、まず確認すべきは、『三太郎の日記』には明確なストーリーラインは存在せず、基本的に日記筆者の内面の煩悶が延々と記されているという特徴である。そして日記筆者は阿部次郎というわけでもなく、あくまで青田三太郎という仮構の人物として設定されている。しかし、そのまま阿部次郎の体験が反映されていると読み替えてもいいような箇所も多く、あげくは途中で三太郎の真の名前として瀬川菊之丞が示されるなど、全体の統一的把握が困難な作品のつくりになっている。

とはいえ重要な点は、この『三太郎の日記』こそが、ベストセラーとなり「古今東西の古典を読み煩悶し人格の完成を目指す」という大正教養主義のステレオタイプ・イメージを作りだしたという点である。「俺はホメーヤやソフォクレスやヨブやダヸデや基督や、ポーロや、聖オーガスティンや聖フランシスや、ダンテやゲーテを精神上の祖先に持つことを愧ぢない」、あるいは「基督に、ダンテに、ゲーテに、ルソーに、カントに求むることについて何の躊躇を感ずる義務をも持っていない」、そして「ニイチェがトルストイを悪く云ったり、トルストイがニイチェを悪く云ったりすることは、俺がニイチェとトルストイと両方の弟子であることを妨げない」といった箇所が『三太郎の日記』の中でもよく参照されるところである。

このような箇所を読むと、ひたすらに読書を重ねることだけを気にかける姿勢がみられる。そして、まさに自己の内面だけに閉じこもる点が、大正教養主義の弱点として批判されてきたところでもあった（煩悶・思考の身体性の喪失という観点での批判としては、唐木順三《からきじゅんぞう》『新版現代史への試み』筑摩叢書、一九六三。自己の外部たる社会の喪失という非政治性を指摘するものとして、堀尾輝久「戦前日本における「教養」の存在形態」『天皇制国家と教育』青木書店、一九八七など)。とはいえ『三太郎の日記』において、一応は自己の外部あるいは社会との関わりが追及されている点も確認したい。たとえば、「社会を嫌悪するは余が生活の一面にすぎない。社会と隔離するは余が要求の一面にすぎない。人類を嘲笑するは余が感情の一面にすぎない。真正の希望は社会と融和し人類と親愛したいのである。自然と社会と自己と、三面協和するにあらざれば吾人の生活はついに全きを得ない」といった形で社会との融和への希求が記されてはいる。しかし、基本的に『三太郎の日記』は、社会との融和あるいは「本当の生活」といった希望を語りながらも、政治的・社会的問題が関心事にあがることはなく、ひたすらな読書や終わらぬ自己内省に向かう主人公の姿を示した著作であった。

次節では、この『三太郎の日記』刊行以後の大正教養主義を見ていきたい。従来では『三太郎の日記』に代表される教養主義的読書文化がもっぱら関心を集めてきたが、大正教養主義を打ち立てるに至った大正期教養派はその後どのような歴史に関与していったのか。この点を明らかにしていくことで、単なる(人文系)読書礼賛では済まない、大正教養主義の思想史が浮かび上がってくるだろう。

†政治的かつオカルト的な大正教養主義へ――阿部次郎の満鉄講演

大正教養主義の思想は、日本の植民地主義へと接続する。大正九年、満鉄読書会ならびに吉野作造から要請を受けた阿部次郎は、植民地満洲・朝鮮において翌年の大正一〇年に『人格主義の思潮』（満鉄読書会、一九二一）として刊行されることになる連続講演を行う（この講演に関しては、中山弘明「満鉄の阿部次郎」『日本文学』五三（九）、二〇〇四が詳しい）。

京城・大連・奉天・撫順・長春の五カ所で講演を行った阿部次郎であるが、そこで阿部が説くのは新カント派の人格主義とともに、「霊魂の不滅」であった。阿部曰く、「吾々はどうにかして信じられるならば不滅を信じたい、不滅を信ずる事が能《で》きれば、吾々の生活のパースペクチーブが前にも後にも随分広く延びて来て、我々の生活が色々広がって来る訳である」。この言葉は、人格主義を説いていた阿部次郎が講演の最終段で、ゲーテ『ファウスト』の引用を交えつつ、人格を展開させても死ねば無意味ではないかと自問する中で登場する。「宇宙の生命にとって、吾々が善くなると云う事が非常に意味があれば兎に角、宇宙の生命は、吾々が善くっても悪くっても、要するにその有るが如くに在るのである」と問題意識について言及するとともに、阿部次郎は当時のイギリスの心霊研究（Psychical research）を紹介しながら、霊魂の不滅が科学的に証明されたと講演で述べる（ちなみに、阿部への影響関係は不明であるが、ケーベルもヨーロッパの心霊研究を日本に伝えている。参照、熊谷哲哉「ラファエル・フォン・ケーベルとカール・デュ・プレル」『ドイツ文学論攷』六二、二〇二一)。

かくして「吾々は人格として不滅であると云うことが証明されれば、吾々の人格の完成と云う事は、此の肉体を離れても期することが能きるものであるということになる。そうすると、吾々の人格価値を求める努力が、随分望の多いものに成ってくる訳である。(引用者中略)この信仰は、吾々の人格主義の世界観に無限のパースペクテイヴを開くものとして重要な意味を持っているのであります」と阿部は述べ、講演を締めくくる。

さらには、『人格主義の思潮』の付録である「労働問題一面観」(大連のみでこの講演がなされた)にも目を向けよう。労働問題に対して教養主義は如何に応答するのか。答えから言えば、応答はしない。「我々が労働問題に就いて考える場合に必要な着眼点は、一つには労働問題の解釈には個々の資本家と労働者の争だけでもってどうしたって解決はつかない、それには社会的のオーガニゼーションが必要である」として、阿部は労働問題の論点を変える。むしろ経済的、物質的な話はともかく、阿部にとっては文化的な新しい生活をなせるかが重要である。「新しい生活の仕方と新しい文化を拵え出すのが吾々の誇であり、吾々が西洋人を導く力がありはしないか」と、阿部は講演で聴衆に問いかけている。そうは言いながらも、阿部の憧れは終始、西洋古典の世界に向いているようだ。同じ個所で阿部は以下のように、大正教養主義と植民地主義が融合したような言説を述べる。「朝鮮人が彼の小屋の中に住んで居るからそれで軽蔑する訳ではないのであります。其の小屋の中に住んで居る生活の内容が、如何にもダラけた、光彩の無いものらしく見えるところに私が果敢なく感ずる根拠がある。若しああ云う小屋の中に、例えばセント・フランシスと云うような人が住んで居て、そうして彼の小屋の生活の中から、神に対する愛と人間に対する愛の精神が熾んに活動して居るとすれば、私は決して彼の小屋の故をもってセント・フランシスを軽蔑することはあるまいと思う」。

このように阿部次郎の人格主義は、その思考自体の非政治性（非社会科学性といってもいいかもしれない）ゆえに、現象としては極めて政治的な形で植民地政策と結合することとなる。人格の展開を目指す、大日本帝国が構想されてしまうのであった。大正期教養派のもうひとりの代表格である安倍能成も、京城帝国大学教授として長期間活動を行っていたことも象徴的である。なおこの後、阿部次郎の教養主義はマルクス主義を学んだ東京帝大生・竹内仁《たけのうちまさし》から激しい批判を浴び（人格主義論争、大正一一年）、あげく論争としてはほぼ阿部の敗走といった形で終結する。

大正教養主義は、たしかに思想・思惟様式としては非政治的であった。しかし、その大正期教養派がいた位置・あるいは行った活動は極めて政治的であった。そして、読書文化としての大正教養主義は、竹内洋が指摘してきたように、『三太郎の日記』刊行の大正三年からせいぜい大正一〇年まで持続した「ブーム」に過ぎない（もちろん、このようなブームが昭和前期や戦後日本でも断続的に発生するという点は重要である)。そのブーム牽引者らは、旧制第一高等学校から東京帝大を経て、かつ語学能力やケーベルとの関係性構築の成否といった有形無形の「選別」を経た学生であった。彼らは帝国大学の教員となり、ブーム以後は、欧州留学(大正一一～一二年)後に西洋研究から日本研究に転向し(昭和六年刊行の阿部次郎『徳川時代の芸術と社会』など)、あるいは意識的に戦争協力を決断し帝国日本の「教養」を掲げ、敗戦後は文部大臣にまで登りつめた(安倍能成)。なお、大正期教養派の人間関係も良好だったとは言い難く、阿部次郎は和辻照《てる》との不倫関係をめぐって和辻哲郎とほぼ断絶し、安倍能成も阿部次郎をくさすような追悼文を新聞に発表し、遺族から怒りを買った(詳細は竹内洋『教養派知識人の運命』筑摩選書、二〇一八を参照)。

本稿あるいは大正教養主義を学ぶことの現代的意義という点に最後に触れたい。上述のような大正教養主義の歴史的展開を知り、落胆された読者もいるかもしれない。しかしながら、意義はそこにある。実態・歴史としての大正教養主義を学ぶことによって「なぜそもそも教養を重視してしまっているのか」という、紛れもなく現在の私たちがもつ暗黙裡に常識化された問題設定・先入観が、思想史的検討を通して、逆照射される形で浮かび上がってくるのではないだろうか。

さらに詳しく知るための参考文献

＊ここで紹介する文献に加えて、より多面的な（大正）教養主義理解を得るには、筒井清忠編『大正史講義【文化篇】』（ちくま新書、二〇二一）の第4〜6講で紹介されている文献も併せて参照されたい。

渡辺かよ子『近現代日本の教養論』（行路社、一九九七）……大正期以降の教養論の展開が解明されており、戦前期日本における教養論あるいは論者について総体的に学ぶことができる。

高田里恵子『文学部をめぐる病い』（松籟社、二〇〇一／ちくま文庫、二〇〇六）……昭和期以降の東京帝大を舞台とする、教養主義とドイツ語との歪な関係性を剔抉した力作。

田中祐介「苦悶の大正教養主義――真理探究と社会改造に揺れる知識階級の社会史」（国際基督教大学博士論文、二〇〇九）……歴史的実態としての大正教養主義を追い、旧制高等学校生の大正教養主義の受容や、人格主義論争をはじめとした文壇・論壇での大正教養主義の展開を解明した非常に重要な研究。

竹内洋『教養派知識人の運命』（筑摩選書、二〇一八）……阿部次郎に関する浩瀚な評伝。さまざまな紆余曲折、毀誉褒貶を経た阿部次郎の生涯が描かれている。

松井健人「大正教養主義とR・v・ケーベル」（『関東教育学会紀要』第四五号、二〇一八）／同「旧制第一高等学校のドイツ語教育課程と教授方法にかんする史的考察」（『東京大学文書館紀要』第三八号、二〇二〇a）；同「「大正教養主義の起源」東京帝国大学教師ラファエル・フォン・ケーベルと学生たち」（『ソシオロゴス』第四四号、二〇二〇b）……本講義の元となっている。

コラム3　文化主義

渡辺恭彦

「文化」という言葉は、江戸中期に年号として使われ、その後外来語にこの和語が充てられた。派生語である「文化主義」も自覚的に使い始められた言葉である。

「文化主義」の提唱者として挙げられるのが、桑木厳翼《くわきげんよく》（一八七四〜一九四六）と左右《そう》田《だ》喜《き》一郎《いちろう》（一八八一〜一九二七）である。桑木と左右田は図らずも同時期に、「文化主義」という言葉を講演や論文で使い始めた。これには、外来のデモクラシー思潮や新カント派西南学派の価値哲学が受容されていたという思想史的な背景がある。

桑木厳翼は、帝国大学文科大学哲学科でラファエル・フォン・ケーベルや井上哲次郎に学んだ後、京都帝国大学教授、東京帝国大学教授を歴任したカント研究者である。大戦などの時勢にも目を配った研究態度を特長とし、代表的な著作に『カントと現代の哲学』（一九一七）がある。

一九一八年一一月、桑木は左右田に二ヵ月先んじて「文化主義」という言葉を使った。これは、漠然とした考えを言い表したもので、西洋思想の受け売りではなく、まったくの創造であるという。桑木が「文化主義」を論じたのは、「世界改造」が流行語となっている情勢を受けてのことであった。桑木によれば、労働問題を階級闘争論で解決することはできず、改造の基礎は、労働者が自己を自由であると考える内部生活にもある。このような考えのもと、「人々の内部生活即ち其の自我が自由なる発展を遂ぐること」を「文化」と規定したのである（桑木厳翼『文化主義と社会問題』至善堂書店、一九二〇、一四三〜一四四頁）。

桑木はさらに、字義に遡って「文化」を「文明」や「自然」と比較したうえで、「高等なる文明」として「文化」を捉える。そして、各時代や各国の「文化」が持つ相対的価値のもとで、真善美などの絶対的価値を目指すものとして「文化主義」を定義した。絶対的価値は、実在するものではなく、そうあるべきもの（当為）として措定される。絶対的価値は、われわれの意識に普遍妥当性を要求するため、経験的自我を成り立たせる先験的自我（人格）と結合する。こうして、「文化主義」は「人格主義」ともなる。桑木は「文化主義」を、当時提唱されていた「デモクラシー」、恒久平和、国際連盟、世界改造などをも含む、広い考えとして位置づけた。

「文化主義」のもう一人の提唱者、左右田喜一郎は東京高等商業学校（現一橋大学）で学んだのち、満九年間米英独仏で研究生活を送り、新カント派のリッケルトに私淑しながら、貨幣や価値を主題とする経済哲学を打ち立てた。家業の左右田銀行を継ぎ貴族院議員にもなるなど、学究・実業家・政治家という役割を実現した人物であった。

左右田が関わった団体に黎明会《れいめいかい》がある。吉野作造、福田徳三らを中心として一九一八年一二月から約一年八カ月間活動した思想団体で、デモクラシーの台頭に反撃する勢力から民主的知識人を防衛することを目的としていた。黎明会の第一回講演会(一九一九年一月八日)で、左右田が自身の人生観として唱えたのが「文化主義」である。黎明会にとって焦眉の問題であった官僚主義・保守主義・軍国主義に対して、民主主義・進歩主義・自由主義を掲げて対抗するのではなく、彼は二つの立場を内在的かつ超越的に顧みる第三の立場として「文化主義」を提唱した(左右田喜一郎「文化主義の論理」『黎明講演集第一巻　復刻版』龍溪書舎、一九九〇)。左右田にあっては、人文史上の諸価値を純化し、極限となるものとして「文化価値」があり、それを実現する主観として人格が措定されている。「文化主義」と「人格主義」が重なり合っており、桑木の立場に近いといえる。左右田の「文化主義」においてラディカルなのは、民主主義(デモクラシー)が無特権階級を解放したという歴史的な意義を認めつつも、多数が少数より優れていることは必ずしも言えないとしたことである。

「文化主義」をさらに展開した論文「価値の体系」(一九一九年一一、一二月)で、左右田は「文化価値」の対概念として「創造者価値」を打ち出した。二つの価値は、本来同一の価値を社会と個人の側から解釈したものである。「文化価値」は社会的共同財であり、「創造者価値」は孤絶した天才による創造の境地で実現される。

桑木や左右田が価値を主題としたのは、人間の精神や価値に基づく文化科学と自然科学を区別したリッケルトに依拠しているからである。リッケルトは西田幾多郎や田辺元《はじめ》ら京都学派の間でも受容され、リッケルトの「個別的因果律」をめぐっては田辺と左右田のあいだで相互批判が起こった。後に田辺は「文化の概念」(一九二二)において、「文化主義」が流行しているが、もともと西南ドイツ学派のカント主義に依拠することが忘れられ、浅薄粗笨なものとなっていると危惧している(『田辺元全集第一巻』筑摩書房、一九六四、四二五頁)。同じく新カント派を受容しながらも、「文化主義」を一般民衆に向けて提唱した桑木や左右田と、価値内容の概念化に固執した田辺の相違は、哲学者の理論と実践を考えるうえでも示唆に富んでいる。

第5講

大正マルクス主義

黒川伊織

†民本主義と日本資本主義論争のはざまで——山川均と第二次日本共産党

本講で取り上げる大正マルクス主義は、明治末年・大正初年以後におけるデモクラシーの高揚と、大正末年以後におけるマルクス主義社会科学の興隆とのはざまに、その位置を占めている。明治末年から大正初年にかけて、憲法学説においては美濃部《みのべ》達吉《たつきち》の天皇機関説、政治論においては吉野作造の民本主義が提起され、大日本帝国憲法の枠内において、解釈・運用の両面でその立憲主義的可能性を最大限追求しようとする試みがなされた。一方、大正末年以後におけるマルクス主義社会科学の興隆は、大日本帝国憲法の枠を超える変革（「国体の変革」＝天皇制の打倒）を目指す日本共産党（第二次）の思想／運動とも連動しながら、戦後日本の社会科学をある時期まで規定することになる講座派理論を生み出すこととなる。

そのはざまにある大正マルクス主義の時代とは、日本ではじめて体系的にマルクス主義理論が受容され、それが現実社会の変革の構想と結びついていった時代であった。政治学者の丸山眞男は、戦前期の日本におけるマルクス主義の受容について、「日本の知識世界はこれによって初めて社会的な現実を、政治とか法律とか哲学とか経済とか個別的にとらえるだけでなく、それを相互に関連づけて綜合的に考察する方法を学び」、「多様な歴史的事象の背後にあってこれを動かして行く基本的導因を追求するという課題を学んだ」と指摘している(『日本の思想』岩波新書、一九六一)。そのような把握に立脚して現実社会の変革を構想した日本共産党が成立したのも、この時期のことであった。

大正期におけるマルクス主義受容の根幹にあったのは、生産力の発展が必然化する生産関係の変化が次の段階の社会のあり方を決定すると捉える唯物史観(史的唯物論)である。図式的に整理すると、マルクスは、『経済学批判』(一八五九)序文で、人類社会の生産様式の発展段階を「アジア的→古代的→封建的→近代ブルジョア/資本主義的」と把握し(唯物史観の公式)、資本主義社会の終わりとともに人類は社会主義社会に到達すると論じた。大正期にマルクス主義を受容した人びとは、そのような把握に立脚して眼前の日本社会を分析し、その変革を構想していった。したがって、大正期におけるマルクス主義の思想的展開を十分に理解するためには、それに基づいて眼前の社会の変革=革命を構想した運動の展開をも広く視野に収める必要がある。大正期とは、思想と運動がはじめてそのように連動した時代であった。

†唯物史観による同時代認識――明治維新の性格規定をめぐって

大逆事件により社会主義運動が「冬の時代」に突入するとともに、経済学者・河上肇《かわかみはじめ》や社会主義運動の長老・堺利彦《さかいとしひこ》の手によって唯物史観の公式が紹介されたことは（河上『時勢之変』一九一一、堺「唯物的歴史観」一九一二）、大正期における社会変革を目指す運動の高揚の思想的前提として重要である。この唯物史観をはじめて日本史の叙述に適用したのが、山川均《やまかわひとし》である。日本史を「私有財産主義発達の歴史」と把握した山川は、発展段階移行の契機を「生産機関」所有者の変化＝「経済的変革」に求め、そこから生起する「政治的変革」として次段階への移行の必然性を説明した限りにおいて、明確に唯物史観の影響を受けていた（「大正維新観」一九一六）。しかも、封建制度を倒したフランス革命を「新興商工階級」（ブルジョアジー）による権力奪取であると把握した山川は、明治維新を封建社会から資本家社会への移行を実現したブルジョア革命であると捉えることになり、したがって同時代の日本社会をブルジョア社会（資本家の支配する資本主義社会）と把握することになった。以後、この把握は、一九二〇年代日本のマルクス主義の同時代認識のあり方を根底から規定することになり、当該期日本の社会主義運動は資本家の支配する資本主義社会の変革（すなわち社会主義革命）を目指す運動として展開されていくことになる。

ここで注意したいのは、のちに「経済主義的」などと批判されることからもわかるように、堺や山川による唯物史観の日本への適用が、『経済学批判』序文の発展段階説を図式的に日本にあてはめる水準にとどまっており、国家権力の所在や政治制度のあり方について具体的な分析を行うには至っていなかった点である。同時代の日本社会を資本家の支配する資本主義社会と把握した当時の社会主義運動が主敵としたのは、国家の支配機構ではなく、労働者を経済的に搾取する資本家であり、のちの日本資本主義論争の時代に主要な課題として浮上してくる天皇制の問題に関心が向けられることはなかった。当時は天皇機関説が通説的な憲法学説として広く受け入れられており、社会主義者も日本の政治制度を立憲君主制の一形態と捉えていたからである。したがって、(のちに主要な課題とされることになる絶対主義的天皇制の打倒ではなく)、立憲君主制下の資本主義社会の経済的変革(資本家による労働者の搾取を解消する革命の実現)こそが、当時の社会主義運動の目的であった。

†社会主義運動の再活性化――一九一九年

資本主義社会の経済的変革が構想されていく背景には、ロシア一〇月革命による体制変革の衝撃と、第一次世界大戦による日本社会の階級分化があった。

長く専制主義国家であったロシアが、一九〇五年革命で立憲君主制に移行し、さらに一〇月革命により皇帝を廃して「労働者農民の国」になったことは、衝撃的な事件として日本に伝わった。一九一九年三月には革命の世界輸出を目指す国際組織である共産主義インタナショナル（第三インタナショナル、略称コミンテルン）の創立大会も開かれたが、革命を主導したボルシェヴィキの思想＝ボルシェヴィズムは、なお日本に届いてはいなかった。一九一四年にはじまった第一次世界大戦は、当時「大正の天佑」と称されたように、日本を世界の「一等国」へと押し上げた一方、資本家と労働者の階級分化を押し進めた。一〇月革命に対抗してシベリア出兵が行われると、資本家による米の買い占めに怒った人びとは、一九一八年夏に米騒動を起こして政府を震撼させた。

このような社会の揺らぎを背景として、一九一九年には社会主義関係のメディアが簇生《そうせい》した。堺・山川による『社会主義研究』、高畠素之《たかばたけもとゆき》による『国家社会主義』、大杉栄らによる『労働運動』をはじめ、『貧乏物語』（一九一六）によって一般にも知られるようになった河上の個人誌『社会問題研究』などは、格差の拡大を問題視する知識人や若者に広く受け入れられ、社会主義思想の宣伝・普及が本格化した。このような思想状況のもと、社会主義運動は「冬の時代」を脱していくこととなった。

この時期、マルクス主義思想を広く宣伝する場となったのが、一九一九年に創刊された総合雑誌『改造』である。吉野作造「憲政の本義を説いて其有終の美を済すの途を論ず」（一九一六年一月）を掲載するなど民本主義を鼓吹《こすい》し、当時論壇の中心を占めていた総合雑誌『中央公論』に対抗するかたちで創刊された『改造』は、マルクス主義を積極的に紹介する立場をとることにより、いわば『中央公論』の左側で存在感を示した。民本主義を「政治的平等」を説くことにより「経済的不平等」を隠蔽しようとするものであると批判する山川を擁した『改造』は、誌面を急進化させつつ発行部数を伸ばし、在野の山川は、民本主義に飽き足らない当時の知識青年の支持を集める左派のイデオローグとして同時代の言論界においてその影響力を拡大していったのである。また、同年に新設された京都帝国大学経済学部の教授となった河上は、『社会問題研究』誌面ではマルクス主義理論の紹介に徹して、こちらも予想外に発行部数を伸ばした。

ただし、一九一九年の日本においては、「社会主義」という言葉は、マルクス主義とアナキズムの両方を包含していた。また、その「マルクス主義」も、誕生間もないコミンテルン（その中心はロシア）から受容されたものではなく、第一次世界大戦の勃発とともに事実上解体した第二インタナショナル（その中心は西ヨーロッパ）から受容されたものであった。英訳書や英語で刊行された概説書によりマルクス主義の大枠を受容した山川や河上であったが、ドイツ留学の経験もあった河上は原著を参照して、とくにマルクス主義思想のうち『資本論』に現れる経済学への学問的関心を深めて実践運動とは距離を置いた一方、日本での社会変革の実践を目指した山川は、いち早くボルシェヴィズムに転じた片山潜ら在米日本人社会主義団の影響を受けて、革命思想としてのボルシェヴィズムにその関心を転じようとしていた。

†コミンテルンの日本への働きかけと第一次日本共産党の成立

一九二〇年春、帰国してきた在米日本人社会主義団の近藤栄蔵《えいぞう》から、ルイス・フレイナ（アメリカ共産党）の著書を受け取ってボルシェヴィズムを学んだ山川が、『社会主義研究』一九二〇年六月号を「ボルセヰキ（ボルシェヴィキ）特集号」として発行したことは、日本マルクス主義がボルシェヴィズムを本格的に受容する画期となった。これ以降の山川は、妻の山川菊栄《きくえ》とともに、マルクス主義の紹介から歩を進めて、ボルシェヴィズムと「労農ロシア」を紹介していくことになり、当時「労農露西亜」についての唯一の概説書と評された『労農露西亜の研究』（一九二一）やレーニンの著書の本邦初訳となった『労農革命の建設的方面』（一九二一）などを上梓して、一般の関心にも精力的に応えた。

一方、実践運動の局面では、シベリア内戦を勝ち抜いたロシア共産党／コミンテルンの東アジアへの働きかけが始まっていた。その最初の足がかりとなったのが、五・四運動を経てボルシェヴィズムを含む「新思想」が爆発的に受容されつつあった中国である。上海に拠点を設けたコミンテルンは、朝鮮人・中国人の密使を東京に送り込み、一九二〇年一〇月にはそれに応えるかたちで大杉栄が上海に渡って、日本国内の社会主義者とコミンテルンとの接触がはじめて実現した。アナキストである大杉は、ボルシェヴィズムの根幹にある中央集権主義に反発して山川らと袂を分かつことになるが、この時点で日本の社会主義者がコミンテルンからの働きかけに応えて国際的な運動の連環に加わろうとしたことは間違いない。

コミンテルンからの働きかけを受け止めた山川が日本共産党暫定中央執行委員会結成の会議をもったのは、一九二一年四月末のことである。こうして誕生した日本共産党（第一次）の初代総務幹事（委員長）には山川が就任した。山川は、公然面でのボルシェヴィズム紹介の中心人物であると同時に、非公然党の政治的・理論的指導者でもあった。これ以降、共産党は、その存在を秘匿しつつ、『改造』などの合法メディアを通じて、自らの立場を宣伝していくこととなる。そのような動きを可能にしたのは、さまざまな全国組織の相次ぐ成立に象徴される社会運動の高揚であった（友愛会の日本労働総同盟への改称［一九二一年一〇月］、全国水平社の結成［一九二二年三月］、日本農民組合の結成［一九二二年四月］など）。

ところで、創立直後の共産党は、一部のアナキストとも協力関係にあった。一九二二年一月にコミンテルンが開催した極東諸民族大会の日本代表団にはアナキストも加わっていたし、大会閉幕後にはアナキストの共産党への糾合を目指して大杉への働きかけもなされていた。しかし、ロシアでの戦時共産主義の強行に反対する水兵（徴兵された農民）らの反乱（一九二一年三月のクロンシュタット反乱）の鎮圧に際して首謀者とされたアナキストが弾圧されたことへの反発や、何よりもボルシェヴィズムの中央集権主義を嫌った大杉が働きかけを受け入れなかったことで、アナキストの糾合を断念した共産党は、一九二二年八月の第一回大会によりボルシェヴィキのみの組織へと再編して、それ以降はモスクワのコミンテルンと連絡を保ちながら活動していくこととなった。

†「デモクラシー」的諸要求の拒否――普通選挙をめぐって

この時期、男子普通選挙権の獲得を目指す普選運動に、共産党は背を向けていた。その要因のひとつに、労働運動の急進的活動家の多くがサンジカリズムの影響下にあって直接行動を重視する立場をとっていたことがあり、山川も同様の態度をとっていた。明治維新をブルジョアジーによる権力掌握と位置づけた山川にとって、プロレタリアートが普通選挙権を獲得して議会に進出することは、議会を牛耳るブルジョアジーの利益に資することにほかならなかったからだ。

一九二二年八月、共産党の合法的機関誌『前衛』に掲載された山川の「無産階級運動の方向転換」は、共産党のアナキストとの訣別と、非公然党の大衆化による政治闘争の必要を告げるものであった。ただし、その政治闘争とは、議会外での大衆的示威行動を中心とするものであ

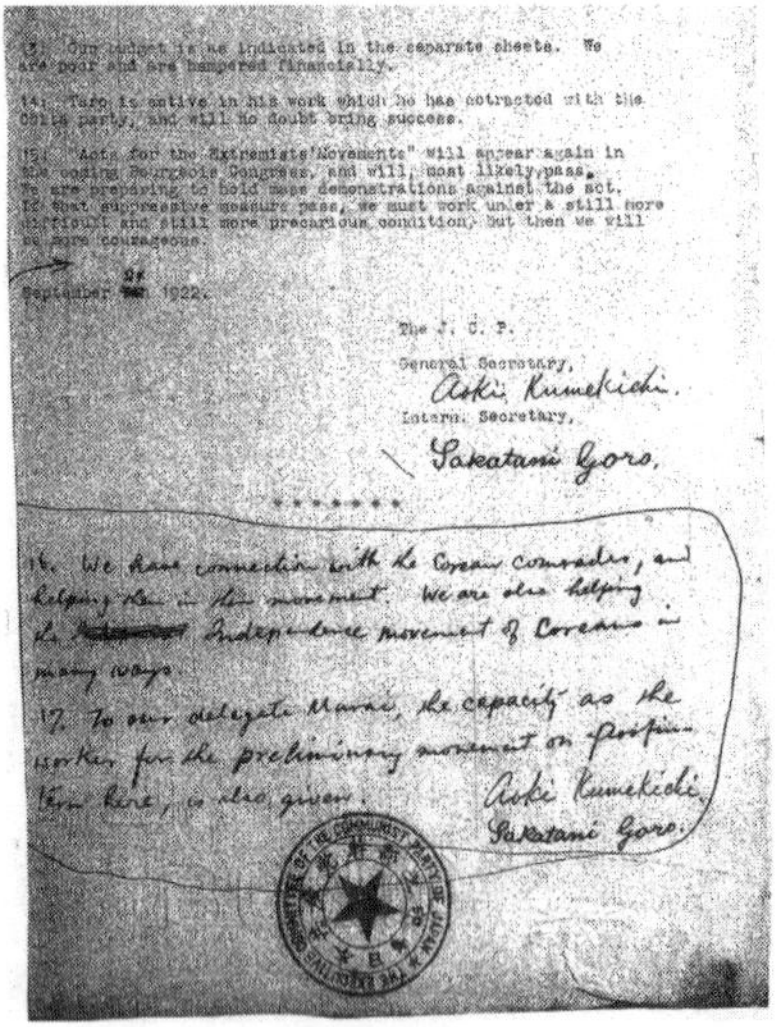

13. Our budget is as indicated in the separate sheets. We are poor and are hampered financially.

14. Taro is active in his work which he has contracted with the [illegible] party, and will no doubt bring success.

15. "Acts for the Extremists' Movements" will appear again in the coming Bourgeois Congress, and will, most likely, pass. We are preparing to hold mass demonstrations against the act. If that suppressive measure pass, we must work under a still more difficult and still more precarious condition, but then we will be more courageous.

September 2[illegible] 1922.

The J. C. P.

General Secretary,
Aoki Kumekichi.

Intern. Secretary,
Sakatani Goro.

* * * * * * *

16. We have connection with the Corean comrades, and helping them in their movement. We are also helping the Independence movement of Coreans in many ways.

17. To our delegate Maruo, the capacity as the worker for the preliminary movement on [illegible] from here, is also given.

Aoki Kumekichi.
Sakatani Goro.

1922年9月に第1次日本共産党がコミンテルンに送った報告書（アオキ・クメキチが荒畑寒村、サカタニ・ゴロウが堺利彦の党名）

り、なお議会否認／普選否認の態度に変わりはなかった。しかし、党内では、間近と考えられた普選実施を視野に入れて、非合法共産党とは別に合法無産（労働者・農民）政党を組織して議会進出をはかろうとする動きも活発化していた。

一九二二年一〇月にシベリアからの日本軍の撤兵が完了して緩衝国・極東共和国が消滅し、一二月にソヴィエト社会主義共和国連邦（ソ連）が成立すると、ソ連との通商・外交関係の樹立が日ソ双方にとって政治課題となった。さらに、極東の要衝ウラジオストクに進出したコミンテルンは、共産党への指導を強め、一一月にモスクワで開催されたコミンテルン第四回大会で、共産党はコミンテルン日本支部として承認された。

共産党を議会進出の方向に向かわせたのは、コミンテルンであった。モスクワでコミンテルン執行委員ニコライ・ブハーリンが起草した「日本共産党綱領草案」が日本に届き、その内容討議のために開催された石神井《しゃくじい》臨時党大会（一九二三年三月）において、この綱領草案が指示する普選運動の推進と合法的労働者・農民政党の組織化による議会進出の方針が決定されたのである。山川も、「議会運動も無産階級の政治運動の一部分となることができる」と、デモクラシー的諸要求を否定してきたこれまでの立場を見直しつつあった。

六月五日、共産党員の一斉検挙（第一次共産党事件）により堺ら八〇余名が検挙されると、山川は逮捕を免れた最高幹部として党組織の維持に奔走しながら、普選運動と議会進出についての思索を深めていくことになった。マルクス主義とアナキズムが渾然とした初期社会主義の時代以来運動を担ってきた山川は、ついに初期社会主義以来の直接行動論の残滓を拭い去り、合法政党の組織化によるブルジョア議会への進出を受け入れたのである。合法政党の組織化については、コミンテルンの示唆のもとイギリス労働党（一九二四年一月には、マクドナルド労働党内閣が成立した）モデルが想定され、関東大震災で被災した直後の山川に伝えられた。

関東大震災のもとで振るわれたさまざまな暴力——亀戸《かめいど》事件、甘粕《あまかす》事件などの白色テロ事件や、「自警団」による社会主義者や朝鮮人・中国人への暴力——、そして戒厳令下の一〇月末に政府により発せられた普選断行声明は、人びとの関心を、資本主義社会の不平等を解消しようとする社会変革から、旧秩序の回復をも含意する復興へ振り向けることとなった。普選断行声明直前の一〇月二二日、山川が残存する党員を招集して開催した日本共産党第三回大会では、合法政党を結成して議会に進出し日本におけるブルジョア民主主義の実現を目指すことが党の正式な方針として決定された。

一九二三年後半以後、山川がそれまでの普選否認論を明確に否定して、「全無産階級を、独立した一個の政治的勢力に結束する」単一無産政党の必要を強く打ち出し始める前提としては、以上のような文脈があった。山川は、日本では「今日に至るまで政治上のデモクラシーを完成しなかった」と、「ブルジョア議会」の権力がいまだ確立していないことを指摘し、「封建的、中世的特権の遺物」である官僚・軍閥と「資本主義社会の真実正当の支配者たるべき」ブルジョアジーとの対抗の場として「ブルジョア議会」を捉えつつ、そこに無産階級が合法政党を通じて介入するという選択をしたのであった。のちに山川が定式化する「協同戦線党論」は、この時期のコミンテルンからの示唆と、その山川なりの解釈によって誕生したものであったといえる。

その後、共産党は一九二四年春に解党する。ブルジョア民主主義すら実現していない日本においては、非合法組織による体制変革を目指すよりも、合法政党を結成して議会に進出しブルジョア民主主義の実現を目指すほうが、当面の課題として重要であるという判断に基づいてのことであった。のちに共産党再建運動に参加するもそこから離脱し、戦前にあっては労農派、戦後にあっては社会主義協会のイデオローグとなっていく山川は、後年の回想では、第一次共産党との関係を全否定しているが、山川なくして日本におけるボルシェヴィズムの広汎な受容も、その結実としての共産党の誕生も、あり得なかったのである。

†「主義者」からエリート学生へ――福本和夫の登場

共産党の解党後、日本におけるマルクス主義の思想／運動は、変容を遂げようとしていた。初期社会主義以来マルクス主義の受容・紹介を担ってきた山川ら旧世代の理論家や活動家にかわって、東京帝国大学や京都帝国大学に学んで学生社会科学連合会（学連）に結集したエリート学生が、社会変革を目指す思想／運動の中心に登場してきたのである。その象徴的存在が、福本和夫である。東京帝国大学を卒業して旧制松江高校教授としてワイマール・ドイツに留学して主体論哲学を学んだ福本は、帰国後に、当時日本におけるマルクス経済学の権威となっていた河上の『資本論』理解を批判して鮮烈なデビューを飾り、共産党再建を目指す共産主義グループに加わった。

さらに、山川の掲げる単一無産政党論を経済闘争と政治闘争が混在する「折衷主義」「組合主義」であると批判する福本は、来るべき共産党は理論闘争により思想的純化を実現した「少数の前衛」により組織されるべきであり、その「少数の前衛」が革命闘争を主導すべきであると主張した（分離結合論）。知識人こそが革命を主導すべきであるとするこの「福本主義」は、エリート学生に熱狂的に受け入れられ、共産主義グループによる共産党再建の動きを活性化させた。

社会変革を唯物史観に基づいて「科学的」に理解したエリート学生らは、社会主義／マルクス主義を主題とする各種出版物の刊行を促した。マルクス主義学生の梁山泊であった東京帝国大学新人会に出入りしていた大宅壮一《おおやそういち》は、新潮社に入って『社会問題講座』（一九二六年三月刊行開始）を編集したし、新人会OBが組織した政治批判社は『マルクス主義講座』（一九二七年一一月刊行開始）を編纂して、本講冒頭に引いた丸山眞男の指摘の通り、「社会的な現実」を「相互に関連づけて綜合的に考察する方法」を広く発信していくことになったのである。一九二四年以降、福本のみならず櫛田民蔵《くしだたみぞう》によっても自らの唯物史観理解の不十分さを批判された河上は、弁証法的唯物論に基づき、哲学的立場から自らのマルクス主義認識を再検討することになり、一九二七年二月から「唯物史観に関する自己清算」の『社会問題研究』への連載を始めて、階級闘争の実践に身を投じることを宣言した。

一方、山川が目指した単一無産政党の創設は、一九二五年一二月の共産主義グループの影響下にある左派団体を排除した農民労働党の結党（ただし即日結社禁止）につながった。この直前、山川は共産主義グループに加入して、共産主義グループ内部で福本主義との闘争に乗り出していくことになる。一九二六年一二月、福本主義のもとで日本共産党（第二次）が再建されると、コミンテルンは大衆的基盤のない性急な党再建を問題視して、モスクワからの介入を本格化させた。

そして、一九二七年七月には、モスクワで起草された「コミンテルン執行委員会の日本に関するテーゼ」（いわゆる「二七年テーゼ」）が示され、コミンテルンの指導と規律に従う非合法組織として共産党の活動が本格化していくことになる。ここに共産党と訣別した山川の姿はなく、山川は、コミンテルンとは異なるマルクス主義実現の道、すなわち、議会を通じて社会変革を目指す「非共産党マルクス主義」（小山弘健・岸本英太郎『日本の非共産党員マルクス主義者——山川均の生涯と思想』一九六二）の立場を選択していった。一九二八年四月に京都帝国大学を辞職した河上は、非合法共産党の影響下にある新労農党を経て非合法共産党に入党して、「日本における情勢と日本共産党に関するテーゼ」（いわゆる「三二年テーゼ」）の日本語訳を行い、一九三三年一月には治安維持法違反で逮捕されるに至った。以上のような大正マルクス主義の到達と分岐は、戦後日本の「革新」陣営の構成の原型ともなっていったのであった。

さらに詳しく知るための参考文献

犬丸義一『第一次共産党史の研究——増補日本共産党の創立』（青木書店、一九九三）……自伝・回想録

や官憲文書など、ソ連崩壊以前に利用可能であった資料を博捜した、冷戦期における日本共産党史研究の金字塔的作品。第一次共産党の歴史的意義を、「明治（初期）社会主義の到達」であり、「戦後の社会党の左派、労農派マルクス主義＝「社会主義協会」の源流」であると喝破した点は、「党員歴史家」として一九六〇年代はじめから第一次共産党史研究に取り組んできた犬丸による客観的評価として、歴史的意義をもつ。

松尾尊兊『大正デモクラシー』（岩波現代文庫、二〇〇一）……一九五〇年代後半に、政治学者・信夫清三郎の主導により始まった「大正デモクラシー」研究のひとつの到達となった古典的研究。「党史」として論じた犬丸に対して、松尾は日本近代史研究の立場から第一次共産党の思想と運動を同時代の「デモクラシー」のなかに位置づけて論じた。

黒川伊織『帝国に抗する社会運動――第一次日本共産党の思想と運動』（有志舎、二〇一四）……ソ連崩壊後に公開されたコミンテルン文書日本共産党ファイルに依拠して、犬丸や松尾による第一次共産党史研究の見取り図を刷新した新たな研究。コミンテルンの影響を受けて活性化した東アジアにおける社会変革運動の一翼に第一次共産党を位置づけて、その思想と運動を帝国日本による支配への対抗と位置づけた。第一次共産党を起点として戦後に至るまでの共産党／コミュニストの活動については、同『戦争・革命の東アジアと日本のコミュニスト　一九二〇―一九七〇年』（有志舎、二〇二〇）にまとめられている。

三田剛史『甦る河上肇――近代中国の知の源泉』（藤原書店、二〇〇三）……杉原四郎ら先行する河上研究者の業績を踏まえつつ、明治期から昭和期にかけて紆余曲折を経た河上の思想的遍歴と学問的到達を整理したうえで、五・四運動以降の中国マルクス主義の発展に及ぼした河上の影響を論じた労作。櫛田民蔵や福本和夫による批判についても簡潔にまとめられる。日中戦争下の延安で日本人捕虜の教育にあたった中国共産党員・王学文は、京都帝国大学での河上の教え子であり、戦後は中国における『資本論』研究の第一人者となった。

米原謙『山川均――マルキシズム臭くないマルキストに』(ミネルヴァ書房、ミネルヴァ日本評伝選、二〇一九)……日本近代政治思想史の立場からまとめられた山川の最新の評伝。著作や論考に即して、山川自身の思想形成とその結実としての労農派誕生の過程が丹念に描かれる。第一次共産党期の山川の思想と運動は、第五章「日本型社会民主主義への道――一九二〇年代前半の模索」にまとめられているが、コミンテルンとの関係や非合法共産党での役割については、深入りしない立場をとっている。

コラム4　日ソ国交論

富田　武

大正という短い時代は、日露関係という点では一九一七年ロシア革命によって二分され、一九二五年に日ソ基本条約が締結されて終わる。一九一四年、第一次世界大戦開始直後に結ばれた第四次日露協商は軍事同盟と言ってもよく、日本はロシアに軍需品を売却し、看護婦らを派遣した。この関係がロシア革命、とくに一一月革命によって断絶し、それどころか翌年日本は米国と共にシベリア出兵を行い、ソヴィエト政権と対決した。そのシベリア出兵を決めた時の外相の後藤新平が、今度は日露復交に尽力し、日ソ基本条約の道を開いた。

この断絶の中の連続とも言うべき現象は、後藤のユニークな政治哲学、大胆な政治行動によって説明されるが、それが第一次世界大戦と革命の激動という背景にも対応したものであったことも指摘したい。ここでは、一九二三年の「対露私見」（『改造』一九二三年六月号）を参照する。後藤（当時は東京市長）がソヴィエト政権の特使アドルフ・ヨッフェと会談し、日露交渉を外交ルートに載せるお膳立てをした直後である（「支那」は当時の表現だが、そのままとした）。

まず後藤は、世界情勢と日本の立場を説明する。日本は、天皇を中心とする「大家族主義」を延長して「四海同胞主義」をとっている。しかし、それを実現するためには「国力の充実」が必要で、西半球の大局を動かす米国にはまだ及ばない。第二に、「支那」を「第二のバルカン」(第一次世界大戦の発火点)にしてはならない。日本は「支那」及び列国により「侵略主義」を非難されるが、日清戦争は「自衛上、列国の行ふ所を黙過し得ず」行ったものである。日露戦争も「自衛自存」のためであり、「支那」を「バルカン化」から救った。日本は東洋平和のために、第一に日支親善、第二に日露親善、第三に日米親善を土台にすべきである。

露国は、革命後六年を経て安定しつつある。「一種無類の専制政府独裁政治を敢てし其の実質支那に優るものある」ことは列国の識者も認めている。労農政権の主義がどうであろうと内政干渉をしてはならない。しかも彼らはいわゆる新経済政策の名の下に「国家資本主義」に漸次転回し、列国に対して通商修好を求めてきている(ラパッロ条約など)。日本は「ボルシェヴィズムと修交するにあらずして露国の人民と和親通商の途を開く」のである。尼《に》港《こう》事件(ニコラエフスクで一九二〇年に起こった日本領事館員及び居留民殺害)やサハリン撤兵(その対抗措置として日本が取った北樺太の保障占領を止めること）は、解決困難とは言えない。

後藤がロシアに好感を抱くのは、日露提携論の伊藤博文の影響が大きい。初代満鉄総裁としては「文装的武備」＝穏健な植民地主義の立場をとり、伊藤の親露政策の継承者を自負していた。日露協会（一九〇七年創立、寺内正毅《まさたけ》会頭）の副会頭をつとめ、日露貿易を促進するハルビン商品陳列館を設立した（一九一八年）。寺内の死去に伴って会頭に就任、ロシア語話者の実務家を養成する日露協会学校を設立した（一九二〇年、のちハルビン学院）。後藤は、寺内内閣の内相としてロシア革命に対処する外交調査会に加わり、ついで外相に就任してシベリア出兵決定を支持したが、米騒動で寺内が退陣すると、中央政界からは身を引いた。出兵の泥沼化と反対運動の高まりの中で、対露関係での再登板の機会を窺っていたものと思われる。

実際、一九二〇年最初のメーデーでは「シベリア即時撤兵」がスローガンの一つに掲げられた。翌年春には欧州部ロシアがヴォルガ流域を中心に大飢饉に見舞われた。一一月には「露西亜飢饉同情労働会」が結成され、飢饉救援運動は「対露不干渉」「労農ロシア承認」の運動と一体に進められた。二二年一〇月には財界で対露通商を求める動きが、政府に対する陳情書提出となって現れた。こうした対露国交要求は石橋湛山、吉野作造といったリベラルはもとより、三宅雪嶺《せつれい》や中野正剛《せいごう》のような日本主義者も支持するようになった。

後藤はこうした動きを背景に、二三年二月にヨッフェとの会談を実現した。労働組合の中には後藤が「ブルジョアの意を体現しているに過ぎない」とか、ジャーナリストの中にはシベリア出兵時の外相だったではないかといった批判もあった。また、当時の後藤の中国観は多分に後見的であり、ロシア相手の沿海州米作移民論や北樺太利権（石炭、石油）事業には「帝国主義的」性格があるという自覚に乏しかった。

後藤は、児玉源太郎（台湾総督）の下で内務官僚（医師であるため衛生政策担当）として評価され、伊藤の推薦で満鉄総裁となり、以後も桂太郎、寺内ら長州閥の首相に重用されて閣僚キャリアを積んできた。同時に、日露協会や露領水産組合といった有力経済人を取り込んだ団体に支えられ、ブレーンに恵まれたことも、影響力の源泉だった。後藤が一九二九年に死去して、ソ連によるネップ放棄（社会主義建設の強行）、日本による満洲事変を見なかったことは幸いだったと言えるかもしれない。

第6講

大正アナーキズム

梅森直之

†大正時代の思想的課題

アナーキズムとは、「支配なき状態」を理想とし、その実現に向けて試みられる思想と実践の総体を意味している(デヴィッド・グレーバー『アナーキスト人類学のための断章』以文社、二〇〇六)。アナーキズムの歴史は、国家の歴史と同じくらい古い。人が集団で暮らし、そこに支配被支配の関係が生じたとき、平等と強権的支配からの自由を求める思想もまた発生したと考えられるからである。しかし近代になり、資本主義が発展し、その対抗思想・運動として社会主義が登場すると、アナーキズムもまた、新たな意味を獲得する。アナーキズムは一方で、いわゆる初期社会主義の有力な思想潮流として、資本主義の暴力的な拡張とそれによって生み出される新たな不平等と支配に対する批判を展開した。他方でアナーキズムは国家や政府の存在を前提とする、もしくはそれを利用する社会主義に対しても仮借なき批判を行った。とりわけ一九一八年のロシア革命の成功により、共産党による集権的な指導を通じて革命の実現をめざすマルクス・レーニン主義が、国際的な共産主義運動の指導原理としての地位を確立すると、アナーキズムは、それに飽きたらない多くの活動家・思想家に対して、それと異なる革命のイメージを提供し、社会主義・共産主義に対する批判の源泉であり続けた。とりわけ現存した社会主義国家の破綻が明瞭となり、資本主義の暴力的拡張が新自由主義の名のもとで強く意識されるようになった現在、アナーキズムは、資本主義システムに対する根源的な対抗思想・運動の根本原理として、再びその影響力を強めつつある（田中ひかる編『アナキズムを読む――〈自由〉を生きるためのブックガイド』皓星社、二〇二一）。

大正時代は、日本においてアナーキズムが、とりわけその影響力を強めた時代であった。松沢弘陽《ひろあき》は、日本の社会主義運動の思想的変化を、明治社会主義、大正アナーキズム、昭和マルクス主義という用語で要約している（松沢弘陽『日本社会主義の思想』筑摩書房、一九七三）。では、なぜ大正という時代状況のなかで、アナーキズムという思想・運動が影響力を持つことになったのか。ここではまず大正時代において、それ以前とは異なる青年の新しい意識が広まっていったことをその背景としてあげておきたい。明治から昭和戦前期にわたる長い期間、著名なジャーナリストとして活躍した徳富蘇《とくとみそ》峰《ほう》は、「大正青年」という用語を用いて、この時代に顕著となった新しい青年の意識を示そうとした（徳富蘇峰「大正の青年と帝国の前途」神島二郎編『徳富蘇峰集』筑摩書房、一九七八)。蘇峰によれば、そうした意識変化の背景にあるのは、日本国家そのものの変質である。大正青年は、日露戦争の勝利により、それ以前の世代の中心的課題であった国家の独立を、いわば所与として享受しえたはじめての世代であった。しかし国家の基礎が固まることは、新しい世代にとって、みずからの活動の選択の幅が、それだけ制限されてきたことを意味する。こうした状況を、明治末年に「時代閉塞」という言葉で表現したのは石川啄《たく》木《ぼく》であった(石川啄木「時代閉塞の現状」『啄木全集』第四巻、筑摩書房、一九六七)。大正期の青年は、国家に代わる価値を、個々人の生き方を通じて模索していかなければならなかった。蘇峰は、「模範青年」「成功青年」「煩悶青年」「耽溺青年」「無色青年」などの用語を用いてそうした実践の多様性を示す一方、その共通の特色を、「時代と無関係」、「国家と没交渉」であることのうちに求めている。ナショナリズムの束縛から解放された大正時代の青年にとって、いかにして個々人が、それに代わりうる価値を創造しうるかは、喫緊の思想的課題であった。アナーキズムもまた、こうした思想的課題に対する応答のひとつとして登場し、その影響を、社会の広範な領域に及ぼすこととなった。

†日本におけるアナーキズムの導入と展開

貧困と隷属に苦しめられている人々が、支配のない平等で自由な暮らしを夢見ることは自然なことかもしれない。しかしながら、そうした願望が、知識人の手によって思想として書き留められることは、近代以前においてはまれであった。われわれは日本におけるその稀有な実例を、一八世紀の東北で、万人が農耕に従事する無階級社会の理想を説き、封建的な身分秩序を批判した医師、安藤昌益《しょうえき》のテクストにみることができる（野口武彦責任編集『安藤昌益』中央公論社、一九八四）。しかし、そうした願望が、具体的な運動・思想として、「無政府主義」という名のもとに体系的に紹介されはじめるのは、日本資本主義の発展とその弊害がともに顕著となる明治後期のことであった。一九〇二年に出版された煙山専太郎《けむやませんたろう》の『近世無政府主義』は、体系的な無政府主義思想・運動の紹介として、日本の読者にアナーキズムについての具体的なイメージを提供した（煙山専太郎『近世無政府主義』東京専門学校出版部、一九〇二）。

煙山による無政府主義の紹介が、安部磯雄《いそお》、片山潜《せん》、幸徳秋水《こうとくしゅうすい》らによっておこなわれた社会主義の本格的な紹介と、ほぼ時を同じくしておこなわれたことは重要である。これは日本の資本主義化が、後発近代化の典型例として、国家による強力な統制と弾圧を伴いながら強行されたことの反映でもある。日本におけるアナーキズムは、普通選挙などの政治参加を通じて分配の公正をめざす当時の社会主義の戦略にあきたらず、国家暴力への直接的対抗を主張する活動家の登場をもって新しい段階を迎える。その代表的人物が、幸徳秋水であった。かれがアメリカ亡命後に発表した「余が思想の変化」（一九〇七）は、それまでの社会主義者の基本戦略であった「議会政策」（＝普通選挙運動）にかわり、労働者の「直接行動」（＝ゼネラル・ストライキ）を通じた社会革命を訴えたものであった（幸徳秋水「余が思想の変化（普通選挙に就て）」『日刊平民新聞』一六号、一九〇七年二月五日）。代表的な社会主義者と目されていた幸徳のアナーキズムへの「転向」の表明は、社会主義運動の内部に深刻な波紋と分裂を引き起こすと同時に、運動に対する政府の警戒と弾圧の強化を招いた。その結果、一九一〇年に、無政府主義者による明治天皇の大規模な暗殺計画というフレームアップが当局によりおこなわれ、幸徳をはじめ一二名の処刑者を出した「大逆事件」が引き起こされることとなった（山泉進編著『大逆事件の言説空間』論創社、二〇〇七）。

†大正アナーキズムの輪郭

幸徳秋水の思想的後継者として、大正アナーキズムを代表する存在として活躍したのが大杉栄《さかえ》であった。大杉は、一九一二年に盟友であった荒畑寒村《あらはたかんそん》とともに『近代思想』を創刊し、「大逆事件」以後停滞する社会主義運動を再生する主導的役割を演じた。大杉が『近代思想』に発表した諸論稿は、「美は乱調にあり」などの詩的表現で、支配への反逆や自律・自由への希求をうたいあげたものが多く、大正青年世代を代表する思想家・批評家としての地位を獲得した。その後大杉は、『近代思想』におけるみずからの活動を、「知識的手淫」と総括し、一九一四年に(月刊)『平民新聞』を新たに創刊し、労働者と一体となった革命をめざすことを宣言した。その後の大杉の道程は紆余曲折に富んだものであったが、かれの個人の自律性を強調する運動のスタイルは次第に労働運動のなかでも影響力を強めていき、とりわけ一九一八年のロシア革命ののちに、大きな盛り上がりをみせた日本の労働運動において、自主・自律・自由を原理とする労働組合運動、すなわちアナルコサンジカリズム運動のリーダーとしてめざましい活躍を見せた。一方大杉は、アナーキズムの国際連帯に関しても大きな足跡を残した。一九二〇年には上海で開催された極東社会主義者会議に参加し、一九二二年には、国際無政府主義者会議への出席のため、また当時のウクライナにおいてレーニンの政権への抵抗を続けるネストル・マフノとの接触を目論み、日本を脱出し、フランスへ入国した(大杉栄『自叙伝・日本脱出記』岩波文庫、一九七一)。また大杉は、多くの著作の翻訳出版でも知られる。そのなかには、クロポトキンやバクーニンらの手になったアナーキズムの古典的テクストや、ファーブルの昆虫記、シャルル・ジャン・マリー・ルトゥルノーの人類学、ロマン・ロランの民衆芸術論など多様なジャンルが含まれていた。また、パートナーとして大杉と後半生をともにした伊藤野枝《のえ》は、青鞜社《せいとうしゃ》にも参加した女性解放運動の活動家として知られており、伊藤とともに大杉もまた、当時の著名なアナーキストであり女性解放論者でもあったエマ・ゴールドマンらの思想と運動を紹介しながら女性解放運動と革命運動との融合を模索した。

こうした大杉の軌跡をたどりながら、大正アナーキズムが提起した問題とその意義をたどってみよう。大杉の思想的原点は、あらゆる支配への徹底した抵抗にある。職業軍人の家庭に生まれ、みずからも幼年学校での軍国主義教育を体験した大杉の場合、身体に対する規律と精神に対する教化を両輪とする軍国主義への拒絶と抵抗が根底にあり、それが米騒動やストライキなどの民衆・労働者の自発的・集団的な「直接行動」への共感を育む源泉となっている。その一方で大杉は、個人の精神の自由に絶対的な価値をおく立場から、ニーチェやスティルナーなどの反権威的な個人主義思想・哲学の紹介を積極的におこない、またその意義の鼓吹《こすい》につとめた。大杉の思想的主張は、文芸運動や芸術運動においても共感をもって迎えられ、政治と芸術をめぐる多様な論争の発火点となったのである。革命の主体は「集団」なのか「個人」なのか、また革命運動の戦略において、政治的な直接行動と精神的な芸術運動との関係はどのように考えられるべきか。大杉が提

大杉栄

起したこうした論点は、大正期の論壇と運動の現場で盛んに議論され、大正デモクラシーと総称される多様な政治思想・運動の地平を拡大していった。

†「自我」と「労働」からの解放

大杉の思想的特質が遺憾なく発揮された論説として、ここでは一九一三年に『近代思想』に発表された「鎖工場」を見てみよう。

夜なかに、ふと目をさましてみると、俺は妙な所にゐた。目のとどく限り、無数の人間がうぢやうぢやゐて、皆んなてんでに何にか仕事をしてゐる。鎖を造つてゐるんだ。俺のすぐ傍にゐる奴が、可なり長く延びた鎖を、自分のからだに一まき巻きつけて、その端を隣りの奴に渡した。隣りの奴は、又これを長く延ばして、自分のからだに一とまき巻きつけて、その端を更に向うの隣りの奴に渡した。その間に始めの奴は、横の奴から鎖を受取つて、前と同じやうにそれを延ばして、自分のからだに巻きつけて、又その反対の横の方の奴にその端を渡してゐる。皆んなして、こんな風に、同じ事を繰返し繰返して、しかも、それが目まぐるしい程の早さで行はれてゐるのだ（大杉栄「鎖工場」大杉栄全集編集委員会編『大杉栄全集』第二巻、ぱる出版、二〇一四）。

ここには大杉が、資本主義的な支配の本質をどのようにとらえていたかが明瞭に示されている。大杉が描く工場には、警察や資本家など、明示的な支配者は存在しない。そこで人々は、みずからを縛る鎖を自発的に作り出してゆく。そしてその支配は、労働を通じて、自動的・自律的に拡張していくのである。したがって、そこでは支配への抵抗も、自分自身への反逆という形態をとることになる。「俺はもう俺の鎖を鋳る事をやめねばならぬ。俺自ら俺を縛る事をやめねばならぬ。俺を縛つてゐる鎖を解き破らなければならぬ。そして俺は、新しい自己を築き上げて、新しい現実、新しい道理、新しい因果を創造しなければならぬ」。このように大杉は革命を、労働を通じた支配のうちにとらわれているみずからの身体と主体を解放することに求めていた。こうして大杉は、個人の革命と社会の革命を一体のものとみなす社会理論を生み出していったのである。

第一次世界大戦を契機として、日本の産業は急速に発展し、労働者の数も増大し、賃上げや待遇の改善を求める労働運動もまた活発化していった。とりわけ一九一八年のロシア革命以後は、労働者による国家権力の奪取を主張するプロレタリア革命論も本格的に紹介されるようになり、労働運動と政治運動との関係もまた強まっていった。こうした状況下で大杉は、みずからの活動の重点を、従来の論壇から労働運動の現場へと移行させていくことになる。大杉はいわば想像上の「鎖工場」を飛び出し、「いま・ここ」にある労働運動の現場へと飛び込み、そこにおける組織と運動を、革命の実践として位置づけていく思想・運動を鼓吹していった。

大杉の労働運動論は、労働者個々人が、みずからの自発性・自律性の基礎のうえに労働組合を結成し、そして個々の労働組合が、相互に最大限の自律性を尊重しつつ連帯を実現していくことで社会革命を実現しようとする点に特質があった。それは当時、アナルコサンジカリズムとよばれ、ロシア革命の成功を背景に共産党による労働者の指導と組織化を重視するボルシェヴィズムと激しく対立することとなった。この両者の対立は、アナ・ボル論争とよばれ、一九二一年に労働組合の全国的な連合組織として日本労働総同盟が発足する際に、その組織原理をめぐって顕在化・先鋭化することになった（大窪一志編『アナ・ボル論争』同時代社、二〇〇五）。大杉は、この論争におけるアナ派の中心人物として、アナーキズムと労働運動との関係を理論化するとともに、その意義を運動の実践を通じて示そうとした。

大杉は、一九一九年の論説「労働運動の精神」において、個人革命、労働運動、政治革命の関連を次のように説明している。大杉によれば、労働運動の目的は、けっして「賃金の増加」や「労働時間の短縮」の要求につきるものではない。むしろ労働運動は、「自分で、自分の生活、自分の運命を決定したい」という人間の根源的な欲求に基礎をおくべきであり、その実現をめざすべきである。そして大杉は、労働組合の組織こそが、労働階級の自主自治的能力を涵養するための最良の方法であると主張し、その意義を以下のように説明している。

労働組合は、それ自身が労働者の自主自治的能力の益々充実して行かうとする表現であると共に、外に対しての其の能力の益々拡大して行かうとする機関であり、そして同時に又斯《かく》して労働者が自ら創り出して行かうとする将来社会の一萌芽でなければならない。……労働運動は労働者の自己獲得運動、自主自治的生活獲得運動である。人間運動である。人格運動である（大杉栄「労働運動の精神」大杉栄全集編集委員会編『大杉栄全集』第五巻、ぱる出版、二〇一四）。

大正時代を通じて労働者は、階級としての自覚と自信を深める一方で、大戦後に到来した不況や、機械化の進展に即応した産業の合理化の進展や労働管理の強化により、新しい形態の従属に服する不安にもさらされていた。こうした状況を生きる労働者の期待と不安が、大杉の発信する「労働からの解放」というメッセージの、巨大な共鳴板となった。こうしてアナーキズムは、大正期を代表する思想・運動へと成長していったのである。

†大正アナーキズムの外延

アナーキズムの基本原理は、資本主義と国家によって行使される支配に抵抗し、自由・自律の生活を求めることに存在する。その際、どのような支配を主要な抵抗のターゲットと見なすか、抵抗のための拠点をどのように想定するか、抵抗のための戦略をどのように構想するかに応じて、具体的な思想・運動の次元で、多様なアナーキズムが展開することになった。加えてアナーキズムは、支配のない社会という理想の具体的なイメージをどのように表現するかにおいても多様であった。大杉自身は、社会における支配・被支配の関係、すなわち「征服の事実」が、人類の歴史を貫く根本事実であることを承認していた（大杉栄「征服の事実」大杉栄全集編集委員会編『大杉栄全集』第二巻、ぱる出版、二〇一四）。この「征服の事実」に「いま・ここ」において反逆することが、かれのいうアナーキズム、すなわち「新生活の創造、新社会の創造」にほかならなかった（大杉栄「生の拡充」大杉栄全集編集委員会編『大杉栄全集』二巻、ぱる出版、二〇一四）。しかし、資本主義が確立する以前の伝統的な共同体の姿に、アナーキズムの原像を求める人々も存在した。たとえば伊藤野枝は、みずからが生まれ育った糸島《いとしま》（福岡県）の漁村の自治的な慣行のうちに「無政府の事実」を見いだした（伊藤野枝「無政府の事実」『伊藤野枝全集』下、學藝書林、一九七〇）。また石川三四郎は、歴史上にあらわれた「土民」という言葉のうちに、「他人に屈従せず、他人を搾取せず、自ら大地に立って自由共働の生活を経営する」アナーキズムの原理を求めた（石川三四郎「近世土民哲学」鶴見俊輔編『石川三四郎集』筑摩書房、一九七六）。また、アナーキズムのイメージが、人類学によってもたらされる資本主義的文明の「外部」に求められることもあった。大杉自身もまた、人類学者や探検家からもたらされた「未開社会」の姿からインスピレーションを受け、「征服の事実」の外部にある社会を想像し、それをみずからの思想のうちに取り込んでいった。たとえば、一九一三年の「羞恥と貞操」において大杉は、南太平洋の島々における性道徳から、「女が男の私有物」となっていない「自由な両性関係」を読みとろうとした（大杉栄「羞恥と貞操」大杉栄全集編集委員会編『大杉栄全集』二巻、ぱる出版、二〇一四）。

政治と芸術、理論と実践との関係もまた、アナーキズムにおいて問われた重要なテーマであった。大杉は、政治と芸術との関連について、ロマン・ロランの民衆芸術論をひきながら、現在の芸術を民衆にまで行きわたらせることと、民衆から新しい芸術の様式を作り出すこととを区別した。大杉はそれを、「新しき世界の為めの新しき芸術」と表現した（大杉栄「新しき世界の為めの新しき芸術」大杉栄全集編集委員会編『大杉栄全集』四巻、ぱる出版、二〇一四）。大杉は、その原動力を、新興階級としての労働者、とりわけその前衛のうちに漲っている「新しい感情や思想や理想」のうちに見いだした。この意味において大杉は、芸術と運動とのあいだに一切の区別を認めなかった。「労働運動のないところに労働文学はない。そして此の労働運動の中からでなければ労働文学は生れて来ない。労働運動は労働者の実際生活なのだ。そして労働文学は此の実際生活の再現なのだ」（大杉栄「労働運動と労働文学」大杉栄全集編集委員会編『大杉栄全集』第七巻、ぱる出版、二〇一五)。こうした大杉の運動論・芸術論は、みずからの生き方そのものを、新しい社会を創出する試み、すなわち革命の実践とみなす視座へとつながってゆく。「人生は決して、予め定められた、即ちちやんと出来あがつた一冊の本ではない。各人が其処へ一字一字書いて行く、白紙の本だ。人間が生きて行く其事が即ち人生なのだ」(大杉栄「社会的理想論」大杉栄全集編集委員会編『大杉栄全集』五巻、ぱる出版、二〇一四)。大杉にとってアナーキズムは、人生の総体、すなわちライフスタイルそのものの変革を意味するものにほかならなかった。

大杉は、みずからの活動の舞台を、積極的に海外に向けて拡げていった。かれの「日本脱出」の一回目は、一九二〇年に、上海で開催された極東社会主義者会議に出席したことであり、その二回目は、一九二二年にフランスのアナーキストより届いた、ベルリンで開催予定であった国際無政府主義者大会の招待状を受けとったことが契機となった。その顚末を記し、かれの死後に出版された『日本脱出記』には、大杉が、アナーキズムの国際連帯と、とりわけアジア地域におけるそのネットワークの組織化を、どれほど重要な課題と考えていたかが、はっきりと記されている。実際に大杉は、上海において、中国人無政府主義者たちの援助により偽造の旅券とビザを入手し、フランスに向かい、そしてリヨンを中心に、現地中国人の勤労学生たちの組織化という課題に取り組んだのである(大杉豊編『日録・大杉栄伝』社会評論社、二〇〇九)。

フランスへの滞在中、もっとも大杉の関心をひいたのは、ロシア革命後のウクライナにおいて、レーニン率いるボルシェヴィキに対し、徹底した抵抗を続けているマフノの闘いであった。大杉はマフノの闘いの意義を、次のように表現している。

マフノヰチナとは、要するに、ロシア革命を僕等の云ふ本当の意味の社会革命に導かうとした。ウクライナの農民の本能的な運動である。マフノヰチナは、極力反革命軍や外国の侵入軍と戦つてロシア革命共者を防護しつつ、同時に又民衆の上に或る革命綱領を強制する謂はゆる革命政府とも、戦つて、飽くまでも民衆自身の創造的運動でなければならない社会革命共者をも防護しようとした。マフノヰチナは、全く自主自治な自由ソヰエトの平和な組織者であると共に、其の自由を侵さうとする有らゆる敵に対する勇敢なパルテイザンであつた。そして無政府主義者ネストル・マフノは此のマフノヰチナの最も有力な代表者であつたのだ（大杉栄「無政府主義将軍——ネストル・マフノ」大杉栄全集編集委員会『大杉栄全集』第七巻、ぱる出版、二〇一五）。

こんにちからふりかえると、いわゆるロシア革命なるものが、政府の集権的な指導により、急速な工業化を実現する後発国家の近代化戦略の一変種に過ぎなかったことが明らかとなっている。日本を脱出し、アジアの植民地を経由して、ウクライナでの戦争に思いをはせる大杉の視線は、植民地主義や社会主義が、近代化という名目のもとで、暴力的な支配を拡大していること、そしてその前線では、民衆の根強い抵抗がつねにすでにくりひろげられていることをとらえていた。大杉にとって、日本におけるアナーキズムもまた、資本主義化の暴力にさらされる人々によって織りなされているグローバルな抵抗運動の一部を構成するものであった。

さらに詳しく知るための参考文献

大杉栄『大杉栄評論集』(飛鳥井雅道編、岩波文庫、一九九六)……大杉栄が残した主な論説を年代順に収録。こうしたアンソロジーのほかに、大杉の全集もこれまで数度刊行されており、現在のところ、ぱる出版『大杉栄全集』全一三巻(別巻を含む)が最新にしてもっとも包括的である。こうしたアンソロジーや全集を通じて、ぜひ大杉の生の文章に触れ、解説では伝えきれないその特有のリズムや躍動感に触れてもらいたい。

大杉栄『自叙伝・日本脱出記』(飛鳥井雅道校訂、岩波文庫、一九七一)……大杉栄は、行動こそが思想の表現であるべきことを主張した。「自叙伝」は、かれが社会主義者となるまでの生い立ちをふりかえったものであり、「日本脱出記」は、海外のアナーキストたちとの交流を主題とする。ここに集約されているかれの行動や発想の記録を通じて、かれが「革命」とよんでいたものの内実とその意味を、それぞれの生き方とつなぎ合わせながら考えてほしい。

大杉豊編『日録・大杉栄伝』(社会評論社、二〇〇九)……大杉栄の足跡を、現在利用可能な資料により復元。もっとも詳しく実証的な大杉の伝記。大杉に関係した人物たちの行動やかれらの大杉に対する人物評にかんする情報も豊富であり、大杉をとりまく人間関係のネットワークが浮かび上がる。大杉は、一九二三年にフランスで逮捕され帰国し、その後ほどなく、関東大震災による混乱を利用した憲兵隊によって伊藤野枝、甥の橘宗一とともに虐殺される。本書は、そのプロセスと虐殺後の状況についても詳しい。

梅森直之『初期社会主義の地形学《トポグラフィー》——大杉栄とその時代』（有志舎、二〇一六）……大杉栄を中心に、初期社会主義者の思想と行動を追い、かれらの資本主義批判がこんにちのわれわれに示唆するものを明らかにする。本書では初期社会主義を、資本主義に対抗する原初的な思想・運動として解釈し、大杉のアナーキズムを、そのもっともラディカルな形態として位置づける。単線的な発展ではなく、運動の拡がりとつながりを示す思想史の地形図をめざした。

田中ひかる編『アナキズムを読む——〈自由〉を生きるためのブックガイド』（皓星社、二〇二一）……アナーキズムを知るための最新のブックガイド。大杉と伊藤野枝の著作に対する解説を含む、五〇以上の著作についての解説を収録する。過去から現在に至る日本人と外国人を含んだ幅広い選択で、アナーキズムの思想的拡がりとその歴史的変遷をたどることができる。とりわけ近年影響力を強めているライフスタイル・アナーキズムについての解説が充実している。

コラム5　労働運動論

立本紘之

　大正期日本労働運動の一起点は、労働者の相互扶助・救済などを目的とした労働者団体「友愛会《ゆうあいかい》」の創設である。改元直後の一九一二（大正元）年八月一日に誕生した同組織は労働者の識見・徳性を養うことを綱領に明記するなど、労働者が社会規範・社会的地位を獲得することを目指した共済・向上団体として組織活動を開始した点も特徴的であった。

　だがその後日本の労働者は、第一次世界大戦に伴う一九一五（大正四）年後半からの好景気（大戦景気）及び、大戦終結に伴う一九二〇（大正九）年三月以降の景気後退（戦後恐慌）、さらにその間の諸物価高騰の影響を大きく受けていく。

　まず大戦景気の時期には産業拡大に労働者の供給が追い付かず、企業への待遇改善要求も通りやすくなるなど、労働者優位の労働環境が生まれることとなる（武田晴人『日本経済史』（有斐閣、二〇一九、一九七〜一九九頁））。またこの時期起こった、一九一六（大正五）年八月の横浜船渠《せんきょ》・翌年一月の池貝《いけがい》鉄工所などでの労働争議は、当時の日本の労働者へ団結による要求貫徹の成果と意義を強く印象付けていく。

その後戦後恐慌の時期には、企業の経営悪化に伴う労働者への賃下げ・首切りなどが相次いでいく。だが好景気時に団結の下で要求を貫徹した事例を見聞き・経験した労働者は、恐慌下にあってもなお一九二一（大正一〇）年六月の神戸三菱・川崎造船争議などのような組織的な長期闘争を繰り広げることとなる。

前述した友愛会もこうした状況変化・運動高揚を受けて労働争議を通した労働者の地位向上と社会変革を目指す方向へ変容、一九二一年に「日本労働総同盟」へ名称を変更する。また同年九月の同組織機関誌『労働』の掲載記事「日本労働運動の転換」において「資本家や官憲」の力の行使に対し正義・人道といった「弱者のお題目」でなく、労働者の側も力で対抗することが主張されたように、日本労働総同盟は友愛会時代と異なる戦闘的な組織へ名実共に変化していく。

とは言え一九〇〇（明治三三）年に制定された「治安警察法」の第一七条によって「同盟罷業《ひぎよう》」＝ストライキを目的とする他者への暴行・脅迫・誘惑・煽動行為などは当時禁止されていた。この条項は一九二六（大正一五）年四月同法の改正により削除されるが、労働者が自己の要求貫徹のため「直接行動」を行うことは大正期を通して強い制限を受けていたのである。

労働運動高揚と共にこうした労働者側に不利な規程の改正を求める政治運動も拡大する。しかしそれと同時に大正期日本の労働者を取り巻く思想面での変化を背景に、法の規制を顧みず力を伴う直接行動に身を投じる人々も増加していく。

思想面での変化とは、直接行動を通した生産手段の分配・管理による社会の変革を目指す運動思想「アナルコサンジカリズム」（無政府組合主義）の労働者への浸透である。そして一九二〇年代初頭には、印刷工組合「信友会《しんゆうかい》」などのように同思想の影響を受け組織を挙げて直接行動に転じる団体も登場する。

明治後期以降の都市男性労働者は、通俗道徳に背を向けた独自の価値観と仲間意識を持ち、容易に暴動へ転化する強いエネルギーも内に秘めた存在だったと近年の研究で指摘されている（藤野裕子『民衆暴力――一揆・暴動・虐殺の日本近代』中公新書、二〇二〇、第3章3参照）。この点からも戦後恐慌期の労働者が、固い結束の下で力の行使を説く思想を受け入れたのは自然な流れであった。

しかしその後一九一七（大正六）年のロシア革命の勃発と、同革命を主導した実績を持つ運動理論「マルクス・レーニン主義」（ボルシェヴィズム）の日本への到来が、日本の社会運動に再度思想面での変化を生んでいく。

ボルシェヴィズムの日本への到来はまず、アナルコサンジカリズムとの思想・運動上の対立（アナ＝ボル論争）を生んだ。そしてこの対立で「アナ」側が一時優位となった結果、一九二〇年代初頭の「日本労働組合総連合」による労働戦線統一運動の失敗や知識人排斥など労働運動内部に亀裂も生むこととなる。

その後一九二三（大正一二）年の関東大震災を境に衰退した「アナ」系に代わって「ボル」系＝マルクス主義支持の勢力が労働運動への影響力を強め、旧来の穏健的な労働運動指導者層との間に新たな対立が発生した。そしてこの対立の結果、一九二五（大正一四）年三月に日本労働総同盟内の左派寄りの組合関係者が同組織を除名されて新たな組合横断組織「日本労働組合評議会」を結成する形となる。

以上が大正期日本労働運動の大まかな流れである。労働者の共済組織結成に始まる大正期日本労働運動は、経済・思想面での変化の影響や分裂・対立の経験を経ながら着実に発展・拡大を果たしたと言えよう。

本稿で触れた思想面での変化に関しては本書の第5・6講に詳しい。そして大正末以後の日本労働運動の動きとその背景の思想などに関しては、本シリーズの他の論稿へと譲る形にしたい。

第7講

アジア主義と国家改造論

萩原　稔

†手塚治虫が描いた北一輝

戦後日本の漫画界の巨匠・手塚治虫が、北一輝《きたいっき》を題材とした『一輝まんだら』（一九七四〜七五）という作品を描いていたことはあまり知られていない。最初の舞台は清朝末期の中国、貧しく学問はないが生命力に満ちた中国人女性の姫三娘《きさんじょう》が、ふとしたことで私腹を肥やす清朝の役人を殺害し、義和団に紛れ込んだのちその壊滅とともに上海に逃れ、革命家の章炳麟《しょうへいりん》らと親交を持ち、章に共鳴する青年王太白《おうたいはく》とともに亡命した日本で、北輝次郎《てるじろう》——のちの北一輝に出会い、互いに惹かれあうというストーリーである。北や章のほかにも実在の人物が随所に登場し、歴史ものとして読みごたえがある作品である。

もっとも、この作品は北が最初の著書『国体論及び純正社会主義』（一九〇六、以下『国体論』と表記）を書き上げたあたりで、未完のまま半年ほどで連載が終了する。手塚は題材が連載誌の性格に合わなくなったからだと述べつつ（実際は手塚の遅筆が原因ともされる）、この作品について未練をにじませながら以下のように語っている。

北輝次郎——あの、二・二六事件を生むきっかけをつくり、民族社会主義の旗じるしをかかげた一匹狼として、数奇な運命をたどった彼の、謎にみちた生涯を、ぼくは一度どうしても漫画でとりあげてみたかったのです。（中略）北一輝といえば、清朝末期から、中華民国にいたるまでの、中国の情勢を無視するわけにはいきません。漢民族の、革命と新生に賭けたエネルギーの力強さが、異国の白皙《はくせき》のインテリ北青年にどう影響をおよぼしたか、そしてそれは国情も体制も異なる日本の社会にどうかかわっていったかを、描きたいと思いました。でもそれは、この第一部では、とうとう描けずじまいでした。（中略）第二部では、日本の軍閥の跋扈《ばっこ》と退廃、北青年の失意と上海での執筆活動、そして二・二六事件の青年将校の蜂起、という核心に移していきたいと思っています。どこかで連載をやらせてくれないでしょうか
（「あとがき」、『手塚治虫漫画全集283　一輝まんだら②』講談社、一九八四）。

ここから読み取れるのは、二・二六事件の黒幕としての北一輝を描く上で、彼と中国とのかかわりを無視することはできない、という手塚の認識である。

戦前期の日本には、西洋列強に対抗するため、アジア諸国と連帯すべきだと説く「アジア主義」の思想があった。北一輝も、アジアとの連帯という思いを生涯を通じて持ち続けたアジア主義者であった。他方で北は、国内においては天皇を中核とした体制変革を説き、それは「国家改造論」として二・二六事件へとつながった。北が一九一九年に著した『日本改造法案大綱』の特質は、この両者を初めて結び付けて論じたところにある（原題は『国家改造案原理大綱』、以下『改造法案』と表記。手塚のいう「上海での執筆活動」はこれを指す）。

『一輝まんだら』2巻（講談社、1984）

では、北はなぜこのような論考を書くに至ったのか、またその主張は大正期以降の日本にどのような影響を及ぼしたのか。本講では、日露戦争以降の北の叙述や行動を紹介しながら、これらの問題に迫りたいと思う。

†日露戦争前後の北一輝

アジア主義（亜細亜主義）という思想傾向そのものは、すでに明治期にあらわれている。日本と朝鮮の対等な合邦を説いた樽井《たるい》藤吉《とうきち》の『大東合邦論』（一八九三）、近衛《このえ》篤麿《あつまろ》らを中心とした東亜同文会の発足（一八九八）、ベトナムの独立運動や中国革命に対する頭山満《とうやまみつる》や内田良平らの支援などが例としてあげられる。また大正期にはアジア主義という言葉が一般的になり、一二〇〇ページを超す大著『大亜細亜主義論』（小寺謙吉著、一九一六）も刊行された。これらの多くは、西洋列強との協調を重視する日本政府の外交方針を批判したが、それを国家体制の変革に結びつけるという発想は乏しかった。

さて、一八八三年に佐渡島で生まれた北一輝は、青年期には幸徳秋水らの初期社会主義思想に傾倒していた。しかし日露戦争に際しては、「吾人の社会主義は、独立せる吾人の国家の力によりて其の経済的平等を実現することに存す」（「咄《ああ》、非開戦を云ふ者」一九〇三）という考えのもと、国家の独立を維持するものとして開戦論を唱えた。これに加え、日露戦争を「黄白人種競争の決勝点」とするアジア主義的な発想を示しつつ（「日本国の将来と日露開戦（再び）」同年）、日本は「満洲。朝鮮。而して西比利亜《シベリア》の東南部」を領有して大陸における足がかりとし、社会主義と帝国主義的な対外進出との両立を目指すことを訴えた（「日本国の将来と日露開戦」同年）。

日露戦争後に刊行した『国体論』では、普通選挙を実現し、議会を通じて国家の手による経済的平等を実現する「純正社会主義」革命を日本で断行し、世界各国で同様の革命が成就したのち、個々の国家が世界平和のために結集する世界連邦の創設を説いた。さらに、その前段階として、すべての国家の独立性を尊重すべきという視点から、日本が「支那朝鮮の自由を蹂躙《じゅうりん》しつゝある」現状を「断々《だんだん》（乎《こ》）として止めしめざるべからず」と論じている。これは北が体制変革を説く国家改造論とアジア主義との結びつきを論じた萌芽だといえるが、『国体論』ではごく短く言及しているにすぎない。当時の北の目標はまず日本一国の革命であり、それが世界全体に波及し、従来の国際秩序を変革して世界連邦に至るという世界革命の実現であって、アジアとの提携はあくまで過渡的な位置づけのものであった。

北一輝

†中国革命とのかかわり

しかし、『国体論』が天皇の絶対化を説く考え方（国体論）を痛烈に批判したことを理由に発禁処分になると、北は日本の革命からいったん距離を置き、宮崎滔天《みやざきとうてん》らを中心メンバーとする革命評論社に加わって、当時日本を拠点にしていた中国の革命派の支援へと身を投じることにした。同社は中国だけでなく、世界各地の革命運動にも目を向けており、それが北の世界革命への願望と合致したといえる。北が革命派の組織である中国同盟会主催の演説会で、「僕はただ世界革命を願っている、ゆえにまず支那に望みをかけなければならない」（中国同盟会機関誌『民報』第一〇号、一九〇六）と語ったことは象徴的である。

しかし、こののち北が中国革命に深くかかわることになった大きな理由は、漢族が多くを占める革命派のナショナリズム＝「国家民族主義」への共感にあった。北は列強に侵食される中国の現状を憂い、満洲族の清朝を打倒し、新たな国家体制のもとに中国を強国とする、という彼らの強い意思に触れた。そしてこれは一国の革命に不可欠の要素であり、明治維新（北は「維新革命」と呼ぶ）における志士たちに通じると考えたのである。

一九一一年に辛亥革命が勃発すると、北は中国に渡り、革命派の同志である宋教仁《そうきょうじん》らと行動を共にした。その後の中華民国の成立、清朝の崩壊、臨時大総統となった袁世凱《えんせいがい》の専横、これを議会によって牽制しようとした宋の暗殺、孫文《そんぶん》らによる第二革命の失敗という激動を経て、一三年に北は一時日本に帰国する。そして、一五年から翌年にかけ、のちに『支那革命外史』として公刊される意見書（原題「支那革命党及革命之支那」、以下『外史』と表記）を執筆、大隈重信首相ほか有力者に頒布した。北はこの著述で中国革命の本質が「国家民族主義」にあること、日本がそれを理解しないまま、中国への侵略を続けるイギリス・ロシアとの提携を続ければ中国の民心を失うことを説き、日本は中国革命を支援するため、英露両国との戦争を断行する

「外交革命」を行うべきだと論じた。

(革命後の中国が)英人を駆逐し蒙古討伐を名として対露一戦を断行するの時、日本は北の方浦港(=ウラジオストク)より黒龍沿海の諸州に進出し、南の方香港を掠《りゃく》し、シンガポールを奪ひ、――あゝ仏領印度(=インドシナ)を領して印度救済の立脚地を築き、――更に長鞭《ちょうべん》一揮赤道を跨《また》ぎて黄金の大陸濠洲(=オーストラリア)を占め以て英国の東洋経略を覆へすべきは論なし(中略)支那は先づ存立せんが為に、日本は小日本より大日本に転ぜんが為に、古今両国一致の安危を感ずる斯《か》くの如き者あらんや。

ここには日中の連帯のもと、西洋諸国との戦争を通じてインドの独立を支援するとともに、日本の領土拡張への野望が明確に示されている。もっとも彼が仮想敵国としたのはイギリスとロシアであり、アメリカは中国ナショナリズムへの理解という点で提携可能だと考えていた。このアメリカ観は晩年までほぼ変わらなかった。

一方、『外史』では満洲(中国東北部)に関して、ロシアの南下を防ぐためには日本が確保すべきであるという、中国ナショナリズムへの理解とは矛盾するような主張も展開している。現実の日本と中国の国力を比較したうえでの冷徹な判断とも言えようが、日中両国がロシアとの戦争に勝利した後の満洲の帰属には触れておらず、北の真意はわからない（萩原二〇一四）。なお、のちに北は満洲事変を支持したが、中国本土への進出はアメリカとの戦争を引き起こすとして否定的だった（「日米合同対支財団の提議」一九三五）。また、『外史』では日本の国家体制の変革には言及していないが、これは有力者への提言である以上、当然のことであった。

†『改造法案』①――執筆の背景

中国革命への支援を訴えて『外史』を書きあげた北は、中国の第三革命（一九一五〜一六年）による袁世凱の失脚と死去を受け、のちに国家改造運動の同志となる満川亀太郎《みつかわかめたろう》に対して、もう日本には戻らぬつもりだと言い残し、再び中国へと渡る。しかし、その後の中国情勢は段祺《だんき》瑞《ずい》ら軍閥が実権を掌握し、また辛亥革命以前から北や宋教仁と対立していた孫文が広東で革命派の主導権を握るなか、北は上海で懊悩する日々を送る。そして一九年の五・四運動に直面し、排日が高揚した原因は日本がこの「十数年間加速度的に腐敗堕落した」ことにある、ゆえに「日本の魂のドン底から覆へして日本自らの革命に当らう」と決意し、『改造法案』の執筆にとりかかった（「第三回の公刊頒布に際して告ぐ」一九二六）。

この時期、日本では吉野作造が『中央公論』でデモクラシー（民本主義）を説いて大きな反響を呼び、ロシア革命後には大逆事件以降逼塞していた社会主義運動が息を吹き返していた。

この二つの西洋由来の変革理論に対して、天皇を中核とする国家体制の再構築と、日本のさらなる対外的発展を望む人々のなかから、国家改造運動の流れが生じていく。これらの思想は、藩閥がなお大きな影響力を持つという現状、そして資本主義の進展に伴う格差の出現や米騒動などにみられる社会不安の増大を背景に、既存の体制に対する「革新」ないし「改造」を目指すという共通の性格を有するものであった。

　国家改造運動の源流となった老壮会の活動、及び猶存社《ゆうぞんしゃ》の結成に至る経過については他に譲るが（福家二〇二二）、これらの組織のまとめ役であった満川の回想によれば、当時の国家改造運動の陣営では「全般の国家機構に亘《わた》れる改造の具体案は出来てゐた訳でなかつた」し、「明確なる改造意識を有してゐた人々は殆《ほと》んど無かつたと言つて宜《よ》かつた」（『三国干渉以後』一九三五）。そこで満川は、具体的な国家改造の立案者として北に白羽の矢を立てる。かつては初期社会主義に共感しつつも、国家の役割を重視するか否かという点をめぐり、北と同様に彼らに完全に同調できなかった満川は、『国体論』と『外史』を読んで感銘を受けていたこともあって、北が理想の国家改造のプランを提示してくれると期待したのである。満川は猶存社の同志である大川周明に上海に渡って北を説得するよう依頼し、大川の熱弁に応えた北は、『改造法案』を書き上げたのち、一九年の年末に帰国し、翌年一月に猶存社に加わった。ここに国家改造運動は一つの大きな画期を迎えたのである。

†『改造法案』②――国家改造の実行手段＝天皇を擁した軍事クーデター

では、『改造法案』を通して北は何を訴えたのか。まずは国家改造の実行手段について見ていこう。「天皇ハ全日本国民ト共ニ国家改造ノ根基ヲ定メンガ為メニ天皇大権ノ発動ニヨリテ三年間憲法ヲ停止シ両院ヲ解散シ全国ニ戒厳令ヲ布ク」という本論の冒頭に置かれた文章は、天皇自身が国家改造のために大権を発動すると読み取れる点において、天皇を尊崇する人々から共感を得やすいものだった。昭和期に日本主義に傾倒した文学者の倉田百三は、『改造法案』を読んで北を「天皇絶対神格主義」者だと評しているが（『大乗精神の政治的展開』一九三四）、同様の印象を持った人は決して少なくはなかっただろう。

ただし北の意図は、「国民ノ総代表」にして「国家ノ根柱」たる天皇を擁した軍事クーデターによって憲法停止・戒厳令発布を断行し、天皇の権威を背景に国内外の変革を円滑に進めることであり、天皇による絶対的な権限の行使は全く意図していなかった。これは『国体論』において、天皇を議会とともに最高機関を構成するとしつつ、実際は天皇の絶対化を否定し、国家の意思に従属するものと位置づけていたことと基本的には変わらない。ただ、『国体論』で説いた議会革命から、軍事クーデターの実行へと変革の手段が変化したことは重要である。第三革命勃発後に書いた『外史』の後半部で、北は宋教仁が議会によって袁世凱を牽制しようとして果たせなかったことを背景に、カリスマ的な指導者を中心にした少数精鋭の革命家たちが袁世凱に代表される旧勢力を武力で徹底的に排除することを説いていたが、日本の国家改造にもこれを援用したのである（萩原二〇一一）。

†『改造法案』③――国家改造の具体的内容

続いて、国家改造によって行われるべきとした具体的な政策を見ていこう。軍事クーデターで「軍閥吏閥財閥党閥」といった旧来の有力者を排したのち、普通選挙の実施、治安警察法や出版法などの廃止、私有財産や土地所有の制限、大資本の国家統一、労働者・国民の権利の保障、福祉の充実など、国家の手による経済的平等という『国体論』の理念を具体化した政策の実現が列挙されている。このような主張は、財閥による富の独占を憤る人々、そして一九二〇年代後半以降には農村恐慌や昭和恐慌による民衆の苦境を認識した陸海軍の青年将校らをひきつけていった。さらに、これらの提案が戦後の日本国憲法の内容とも類似する側面があることを、三島由紀夫が指摘したことも付記しておく（「北一輝論――『日本改造法案大綱』を中心として」一九六九）。

もっとも、日本国憲法の理念と大きく乖離していたのが、国家改造後の日本の対外論に関する北の主張、具体的に言えば「巻八　国家ノ権利」の「開戦ノ積極的権利」の項目である。

国家ハ自己防衛ノ外ニ不義ノ強力ニ抑圧サルル、他ノ国家又ハ民族ノ為メニ戦争ヲ開始スルノ権利ヲ有ス。（則チ当面ノ現実問題トシテ印度ノ独立及ヒ支那ノ保全ノ為メニ開戦スルハ国家ノ権利ナリ）。国家ハ又国家自身ノ発達ノ結果他ニ不法ノ大領土ヲ独占シテ人類共存ノ天道ヲ無視スル者ニ対シテ戦争ヲ開始スルノ権利ヲ有ス。（則チ当面ノ現実問題トシテ濠洲又ハ極東西比利亜《シベリア》ヲ取得センガタメニ其ノ領有者ニ向テ開戦スルハ国家ノ権利ナリ）。

国家は自衛のほか、インド独立・中国保全というアジア主義に基づく戦争、そして小国（北は「国際的無産者」と表現する）の日本が領土の公平な分配を要求するため他の大国との戦争を開始する権利を有する、という論理は、イギリスとロシア（革命後のソヴィエト政権）を仮想敵国とした点も含め、『外史』の「外交革命」とほぼ同じ内容だが、『改造法案』では国家改造の実現を前提としており、旧体制のまま戦争に突入すれば第一次世界大戦のドイツの轍を踏むと警告している。かくして北は、中国との連帯のもと、国家改造後の日本が軍備拡張による強大な武力を背景に「国家改造ヲ終ルト共ニ亜細亜連盟ノ義旗ヲ飜《ひるがえ》シテ真個到来スベキ世界連邦ノ牛耳ヲ把」るべきだ、と「亜細亜」の枠組みを強調し、西洋中心の国際秩序の変革を訴えた。これは北にとって、『国体論』とは異なる形の新たな世界革命の論理であり、それを実現するうえで日本の改造とアジア主義が不可分であるという強いメッセージは、国家改造運動にかかわる人々を魅了したのである。

†『改造法案』の影響――その後の展開

猶存社は一九二三年二月ごろに解散するが、その後も『改造法案』は――賛否は別として――常に意識される存在であった。五・一五事件に関与した農本主義者の橘孝三郎《たちばなこうざぶろう》は、訊問の際に『改造法案』を読んだ感想として「此著書に書いてあることは結局軍部独裁と云ふことが主眼に為つて」いる、よってこれに青年将校らが惑わされてはならないと考えたと語っている（原秀男ほか編『検察秘録五・一五事件Ⅱ（匂坂資料2）』角川書店、一九八九）。また戦後に首相になる岸信介が、東京帝国大学在学中に北に会い、『改造法案』を筆写するなど深く共鳴したことも知られている（原彬久『岸信介』岩波新書、一九九五）。さらに満洲事変以降に数多くあらわれた国家改造論を瞥見すると、国内の改造方針として重要産業の国有化、私有財産や土地所有の制限ないし国有化、そして貧窮者の救済が説かれ、対外的にも領土の公平な分配の要求や大アジア主義の確立など、『改造法案』と酷似した主張が多々見られる（内務省警保局保安課『国家改造論策集』一九三五）。

しかし、結果的に北は『改造法案』の内容を実現させることなく、二・二六事件の思想的指導者として処刑される。この事件が失敗した理由のひとつとして、実行者の青年将校には「君側の奸」を殺害すればあとは天皇の大御心に委ねてすべてがうまくいくと考える「天皇主義」と、北と同様にあくまで天皇を改造のシンボルとして擁立することが重要だと考える「改造主義」の両者が混在しており、実際には前者がその多数を占めていたこと、さらに後者も国家改造の実行を天皇に強要するという手段をあえて断行しなかった、ということがある（筒井二〇〇六、同二〇一四）。北もまた自らの本音を彼らに語ることはなく（末松太平『私の昭和史』みすず書房、一九六三）、二・二六事件後の聴取でも「此事に依つて改造法案の実現が直に可能のものであると云ふが如き安価な楽観などは持つて居ません事は勿論でした」と述べた通り、事件後の政権工作について多少の助言をするにとどまった。

なお、青年将校らは「第一義的には農村や都会で呻吟する国民を救うため」に国家改造を考えたのであり、「クーデター方式や国内改革策に惹かれたものの北の主張する対外国策・侵略思想に牽引され事件をおこしたのではない」という指摘もあるが（堀真《ま》清《きよ》『二・二六事件を読み直す』みすず書房、二〇二一）、そのことは彼らが『改造法案』の国威発揚や軍備拡張論に賛成しなかったことを意味しない（須崎愼一『二・二六事件』吉川弘文館、二〇〇三）。海軍青年将校の国家改造運動の指導者的存在だった藤井斉《ひとし》のように、少年・青年期の素朴な大アジア主義への共感、そして軍縮への反感という対外的な関心から運動に参加していった例（小山俊樹『五・一五事件』

中公新書、二〇二〇）は、陸海軍問わず決して少数ではなかっただろう。他方で北に関して言えば、日本の国家改造がアジア主義に基づく国際秩序の変革と直結するという構図は絶対的なものであった。それは『国体論』から一貫する国内及び国際的な不平等の是正への思いとともに、中国ナショナリズムへの共感が基盤となっていた。

　ただし北のアジア主義において、連帯の対象になるのは中国とトルコ、及びイギリスに対する独立運動が激化していたインドのみであり、それ以外にはほぼ言及がないことに注意が必要である（萩原二〇一四）。これは北が『国体論』執筆直前に受容した進化論の生存競争・優勝劣敗の論理に基づき、独立を失った国家は救済に値しないと考えたこと（ゆえに朝鮮併合後に書かれた『改造法案』では朝鮮の独立を否定し、日本本国との差別の撤廃を主張する）、また中国革命に没頭していた北には、中東や東南アジアへの関心はほぼなかったことが大きいだろう。ゆえにそのアジア解放論は、あくまで日本の領土拡張と両立する範囲でのみ認められるものであった。これは北に限らず、鹿子木《かのこぎ》員信《かずのぶ》など猶存社の他のメンバーもこの矛盾を意識せずに日本の改造と世界革命を連動させる議論を展開していた（スピルマン二〇一二）。このような独善的ともいえるアジア主義の論理は、北の死後に「東亜新秩序」や「大東亜共栄圏」という形で実現する。それは北が否定していた日中全面戦争によって生まれたものではあったが、少なくとも彼の『改造法案』の影響を受けた人々が、これらの枠組みにおける日本の「正義」と「指導性」を信じて疑わなかったのも、また確かであろう。

最後に、冒頭の手塚治虫の話に戻ろう。手塚は『一輝まんだら』で日本人による中国人への侮蔑的な言動を描き、『アドルフに告ぐ』で西洋人による東洋人への差別意識を描いた。そのような彼が、中国ナショナリズムに共鳴し、また五・四運動を受けて日本の革命＝国家改造＝国内外の不平等の打破をめざした北に強い興味を持ったのも自然な話である。しかし、北の死後の日本を生きた手塚は、北が訴えた軍事力を背景とした国家運営や「開戦ノ権利」などがその後の日本に何をもたらしたのかを身をもって体験した一人でもある。様々な作品を通して戦争の悲惨さを訴えた手塚が『一輝まんだら』の連載を続けていたら、北をどのように描いたのだろうか。そう考えたくなるのは、私だけではあるまい。

さらに詳しく知るための参考文献

＊北一輝の著述については、いずれも『北一輝著作集』（全三巻、みすず書房、一九五九～八四年）から引用した。

福家崇洋「国家改造運動」（筒井清忠編『大正史講義』ちくま新書、二〇二一）……伊藤隆『大正期「革新」派の研究』（塙書房、一九七八）などをふまえ、老壮会の結成～猶存社の解散までの時期における国家改造運動の展開を歴史学の見地からまとめたもの。同じ著者による満川の評伝『満川亀太郎――慷慨の志猶存す』（ミネルヴァ書房、ミネルヴァ日本評伝選、二〇一六）もある。

筒井清忠『二・二六事件とその時代――昭和期日本の構造』（ちくま学芸文庫、二〇〇六）……一九八四年に有斐閣から刊行、その後一九九六年に講談社現代文庫で刊行されたものを一部改訂し、改題して出されたもの。同じ著者の『二・二六事件と青年将校』（吉川弘文館、二〇一四）とあわせ、昭和の国家改造運動を分析するうえで不可欠な研究である。

クリストファー・W・A・スピルマン『近代日本の革新論とアジア主義』（芦書房、二〇一五）……北、満川、大川、鹿子木、平沼騏一郎らの思想を分析し、国家改造運動とアジア主義とのかかわりについて考察したもの。北の天皇観が一九二〇年代以降に変化したという見解は本稿の筆者とは異なるが、同時代ではそのように認識されたことも間違いない。他の論者についての研究も含め、深く教えられるところが多い。

嵯峨隆『アジア主義全史』（筑摩選書、二〇二〇）……日本の視点から語られるアジア主義の視点にとどまらず、その主張が中国を中心とするアジアからどのように受け止められたのかを綿密に分析したもの。「アジア主義」の対外的な影響を考えるうえで必読の書である。

萩原稔『北一輝の「革命」と「アジア」』（ミネルヴァ書房、二〇一一）／同「北一輝――『中国』そして『亜細亜』」（趙景達ほか編『講座東アジアの知識人　4　戦争と向き合って』有志舎、二〇一四）……前者では中国革命へのかかわりを中心に、「一国革命」と「世界革命」が結びついた北の革命論全体を検討し、後者では北のアジア主義で対象にしていた地域が、あくまで中国やインド、トルコに限定されていたことについて考察を加えている。なお、北の研究については、渡辺京二『北一輝』（朝日新聞社、一九七八／ちくま学芸文庫、二〇〇七）、宮本盛太郎『北一輝研究』（有斐閣、一九七五）が、評伝としては松本健一『評伝北一輝』（岩波書店、全五巻、二〇〇四）が有益である。

コラム6　思想史のなかの「院外青年」

伊東久智

ここで「院外青年《いんがい》」というのは、日露戦後から第一次大戦期にかけての帝国議会周辺（院外）において、活発な政治運動を展開した一群の若者たちのことを指している（以下、伊東久智『「院外青年」運動の研究――日露戦後〜第一次大戦期における若者と政治との関係史』晃洋書房、二〇一九参照）。彼らは「青年党」に割拠し、演説会・地方遊説・機関誌などを通じて、選挙権の拡張を訴えたり、支持する党派の選挙活動を手伝ったり、あるいは地方の若者たちと交流したりと、東奔西走の青春時代を過ごした。そして昭和戦前期には、「院内成年」、つまり代議士となっていった。哲学や文学などに打ち込む「文学青年」だけではなく、彼らのような「政治青年」にも着目してみると、「大正デモクラシー」という用語だけでは捉えきれない大正思想の潮流に迫ることができるかもしれない。

院外青年を院外青年たらしめていたのは、その組織や運動であって秀でた思想内容ではないが、彼らは次の二つの点で、思想史的にも注目すべき存在であったといえる。一つは、彼らが大正期を通じて、幾度も思想的な急転回をみせたということである。

つまり、彼らは大正思想のめまぐるしい変化を映し出す「鏡」のような存在であった。もう一つは、彼らが思想的な立場にとらわれない集団同士の連帯を試みたり、人間関係を築いたりしていたということである。別の言い方をすれば、院外青年としての世代意識や同類意識が、思想的な対立を中和させることがしばしばあった。

以上の点を、代表的な院外青年の一人であった橋本徹馬《てつま》(一八九〇~一九九〇)と、彼が率いた立憲青年党を例にみてみよう。一九一二(明治四五)年二月、早稲田大学を中退した橋本らによって結成された同党は、もっぱら国内の政治問題に関心を寄せ、機関誌『世界之日本』を舞台に選挙権拡張・官僚政治打破の声を上げた。また、シーメンス事件(一九一四年)を受けての内閣弾劾運動に際しては、彼らが敵視する立憲政友会に近い立場の院外青年や、地方に拠点を置く青年党にも参加を呼びかけるなど、党派・地域をまたぐ運動を組織した。

このように、当初の彼らは国民の権利拡充を求める比較的民主的な志向をもっていたが、第一次大戦を契機とした東アジア情勢の流動化を背景に、一転して国家主義的な方向へと転じる。立憲青年党の綱領に明記されていた「選挙権竝《ならび》に被選挙権の拡張に努むる事」「官僚政治の打破に努むる事」といった文言は消え、「帝国の天職に則り王道を四海に布く事」といった抽象的かつ対外膨張的な文言がそれに代わった（機関誌も『一大帝国』と改題）。こうして彼らは、大正初期における国内政治への関心を通じたデモクラシーの内面化→第一次大戦期における対外問題の発見を通じたナショナリズムの内面化（デモクラシーとの融合）という二つの段階を踏みつつ、政治的主体化を完了したのである。実際、橋本はその後、自らの思想を「王道的平民主義」（デモクラシー）と「王道的世界主義」（ナショナリズム）という二つの用語を組み合わせて説明するようになる（橋本徹馬『現代政治家弾劾論』世界之日本社、一九一六）。

さらに興味深いことに、そうして急旋回を遂げた立憲青年党の内部では、思想的立場を異にする党員が同居していた。つまり、一方には橋本のように「国士」を自認し、国家主義的・対外強硬的立場を強調する党員がいるかと思えば、他方には「新人」を自認し、民主的・個人主義的立場を明言する党員もいた。その「新人」の一人であった人物の言葉を借りれば、「国士」と「新人」の「思想的な発足点立脚地といふものが全然同一といへないことは事実」だが、「それは極めてデリケエトな内的な意味での違ひ」に過ぎず、両者とも「全く同じいカラアに包まれてゐる」と認識されていた（矢部生「喫煙室」『潮』一巻三号、一九一八年九月、七五頁）。橋本のなかでデモクラシーとナショナリズムが結合したのと同じように、立憲青年党のなかでも、それらが矛盾なく共存していたのである。

彼らの思想的転回はまだ終わらない。一九一九（大正八）年三月、第一次大戦後における民主的思潮の流入を背景に普選運動や労働運動が台頭してくると、橋本は再度の方向転換に踏み切る。「普通選挙制度を採用し憲政の実果を収めること」や、「労働者の社会的地位を向上せしめること」などを綱領に盛り込むことで、「国士」的思想と「新人」的思想のバランスを後者寄りに調整しようとしたのである（機関誌も『労働世界』と改題）。そして彼らは、学生や労働者も加えた広範な世代的ネットワークを構築しながら、普選運動をその先頭において牽引していくこととなる。

以上のように、院外青年の軌跡には、大正期の変転著しい思想潮流が明瞭に映り込んでいた。しかし他方で、彼らの間の人間関係や集団同士の関係は、思想という次元だけでは説明することのできないものであった。大正期の政治運動や社会運動を理解しようとする際には、世代や性向といった次元でのアプローチも重要になってくるといえるだろう。

第8講
民族自決論

小野容照

†民族自決とセルフディタミネーション

民族自決（Self-Determination《セルフディタミネーション》）は、第一次世界大戦に参戦したアメリカの大統領ウッドロウ・ウィルソンが一九一八年一月に発表した「一四カ条」のなかで提唱した概念として広く知られており、一般的には「ある民族が他の民族や国家の干渉を受けることなく、自らの意志に基づいて、その帰属や政治組織を決定すること」と説明される（松村明編『大辞林（第四版）』三省堂、二〇一九）。それゆえ、植民地支配を受けている民族にとっては、統治国からの独立を意味する概念として、民族自決は重要な意味を持った。

その端的な例が、日本の植民地だった朝鮮で一九一九年三月一日に起こった三・一独立運動である。現在、韓国で植民地時代の最大の独立運動として評価されている三・一独立運動は、一九一九年一月から開催されていたパリ講和会議で民族自決が議題の一つになっていたことを背景として、国際社会に朝鮮人が統治国日本からの独立を求めていることを示そうとした運動であった。戦前の日本で民族自決について活発に議論されたのも、この三・一独立運動の時期である。

とはいえ、民族自決は必ずしも民族の独立を意味するわけではなく、実際は多様な解釈が可能な曖昧な概念である。まずその語源からして曖昧であり、英語のセルフディタミネーションは、直訳すれば「自己決定（自決）」にしかならない。要するに、「誰」が「何」を「自己決定」するのかが自明でないため、多様な解釈が成立するのである。たとえば、独立国家の国民が自国の政治体制を自己決定するものとしてセルフディタミネーションを解釈した場合、この概念はほぼ国民主権と同じ意味になるが、まさにウィルソンはこうした意味合いでセルフディタミネーションを捉えていたといわれる（Erez Manela, *The Wilsonian Moment*, Oxford University Press, 2007）。

したがって、民族がその将来や独立を自己決定するという意味の「民族自決」は、セルフディタミネーションの解釈の一つにすぎない。にもかかわらず、日本でセルフディタミネーションは「民族自決」と訳された。本講ではまず、大正期の日本の知識人が、当時にあっては未知の概念だったセルフディタミネーションをどう認識し、なぜ「民族自決」と訳したのかについて概観する。そのうえで、三・一独立運動と関連して展開されるさまざまな民族自決論について述べていきたい。

†ロシア革命と自己決定する主体

セルフディタミネーションの概念は、第二インターナショナルの大会をはじめとして、一九世紀末からヨーロッパの社会主義者を中心に議論されていた（塩川伸明『民族とネイション』岩波新書、二〇〇八）。しかし日本に伝わったのは、一九一七年三月（グレゴリオ暦）のロシア二月革命後のことであった。

二月革命によって誕生したロシア臨時政府は、一九一七年四月九日に第一次世界大戦の目的に関する声明を出し、セルフディタミネーションに基づく恒久平和の樹立を呼びかけた。この声明は、第一次世界大戦の連合国の政府のなかで最初にセルフディタミネーションを提唱したものだったため、世界的に反響を呼び、日本でも報道されたのである。

日本での新聞各紙の初報は四月一三日付であり、声明のセルフディタミネーションの箇所は「各国民は自国の運命を決定すべき固有の権利」（『大阪朝日新聞』）のように、語句を補うかたちで意訳された。その理由は、当時の日本でセルフディタミネーションが未知の概念であり、「自己決定」と単純に訳しても意味が通じないからであろう。また、ロシア臨時政府の声明は、自己決定する主体が誰なのか明言していないため、新聞各紙は「国民」と解釈するケースが多かった。

このように、セルフディタミネーションが日本に伝わった当初は、自己決定する主体を「民族」と解釈することは一般的でなかった。こうした状況のなかで、セルフディタミネーションを被支配民族と関連づけて解釈したのが、吉野作造である。

吉野は『中央公論』一九一七年一〇月号に発表した「露国の前途を楽観す」という論説で、恒久的な平和を模索するロシア臨時政府を高く評価しつつ、ロシアが提唱する「民族自定主義」は、「虐げられたる少数民族の自由を保護する」ものだと述べている。吉野が「自定（自己決定）」する主体を「虐げられたる少数民族」と解釈したのは、ロシア臨時政府がポーランドの独立に言及し、なおかつ「ウクライナに対して、或意味の独立（実際は自治）を認めた」からであった。

そして一九一七年一一月（グレゴリオ暦）にロシアで社会主義革命である一〇月革命が起こり、ウラジーミル・レーニン率いるボリシェヴィキが政権を掌握すると、吉野のようにセルフディタミネーションと被支配民族を結びつける解釈が日本で広がっていく。

レーニンは世界規模で社会主義運動を活性化させるためには、被支配民族に統治国からの政治的独立を意味する自決権を与えることが必要だと考えていた。そのため、ボリシェヴィキはロシア臨時政府よりも明確に、セルフディタミネーションが植民地支配下にある諸民族の権利であることを世界に広めていく。とくに、ボリシェヴィキがアメリカ、イギリスなどの第一次世界大戦の連合国に向けて一九一七年一二月二九日に発表した声明は、交戦国（中央同盟国）であるドイツとオーストリアの植民地だけでなく、自国を含むすべての植民地の民族が自決権を持つことを主張するものであり、ウィルソンが「一四カ条」を発表する契機となる。

日本では年を明けた一九一八年一月に入ってからボリシェヴィキの声明が新聞や雑誌で報道された。この声明は、セルフディタミネーションが植民地支配下のあらゆる民族の独立を意味する概念であることを日本の知識人に認識させるには十分なものであり、「民族自決」という翻訳語とともに紹介された（『外交時報』三一九号、一九一八年二月一五日）。吉野作造もボリシェヴィキの声明を「一般世界の平和の永久の保障」を模索するものであると高く評価しながら、セルフディタミネーションの訳語を「民族自定主義」から「民族自決主義」に変更している（『中央公論』三三巻二号、一九一八年二月）。

†ボリシェヴィキからウィルソンの民族自決へ

このように、セルフディタミネーションはロシア革命、とくにボリシェヴィキを通して日本に伝わったため、自己決定する主体が被支配民族であると認識され、「民族自決（主義）」と訳された。

他方、先述のようにウィルソンの考えるセルフディタミネーションとは、国民主権に近い意味だったといわれる。しかし、ボリシェヴィキへの対応として、一九一八年一月の「一四カ条」と翌二月の「四原則」演説を通して、セルフディタミネーションが被支配民族の独立の意味も含むことを示唆した。その結果、日本で民族自決(主義)はボリシェヴィキだけでなく、ウィルソンも提唱していると認知されるようになった。ただ、両者の概念がまったく同じものと認識されていたわけではなかった。

植民地支配下にあるすべての民族に自決権を与えるべきだと主張したボリシェヴィキとは異なり、ウィルソンは連合国側の植民地の独立問題には言及しなかった。この点について、吉野作造は『中央公論』一九一八年三月号に発表した「英米当局者の第二言明を読む」という論説で、ボリシェヴィキにウィルソンが続くことによって「民族自決主義」が「世界思潮」になったことをまず評価した。しかし、ウィルソンは連合国側のイギリスの統治下にあるエジプトやアイルランドに何ら言及していないため、彼の「民族自決主義」の適用範囲はドイツなどの中央同盟国の植民地に限定されており、「連合国側の属領地」は「問題外とする積り」である。それゆえ吉野は、「この原則を凡《すべ》ての国の凡ての問題に適用せんとする」ボリシェヴィキと比べると「醇正さを欠く」と批判したのであった。

以上のように、一九一八年三月頃の日本では、民族自決はボリシェヴィキとウィルソンが提唱した概念であり、両者の違いは適用範囲だけだと認識されていた。しかし、日本がチェコスロヴァキア軍団の救出を名目に一九一八年八月にシベリアに派兵することを宣言すると、日本の新聞や雑誌のロシア関連の報道はシベリア出兵が中心となり、ボリシェヴィキと民族自決を結びつけた報道はほとんど見られなくなる。

一方、一九一八年一〇月にドイツが「一四ヵ条」に基づく講和交渉の開始をウィルソンに要求したことにより、翌一一月に第一次世界大戦が終結し、アメリカが主導権を握るかたちでパリ講和会議が開催されることとなった。こうした経緯が日本で報道されるなかで、新聞や雑誌で「一四ヵ条」に関する解説が数多く発表されるようになり、尾崎行雄が「ウィルソン大統領の十四箇條について見るに（中略）第五條から第十三條迄は大体民族自決主義を適用しようとするもの」だと述べているように（『東京朝日新聞』一九一八年一〇月二二日付）、ウィルソンこそが民族自決の主唱者であるという認識が日本で定着していった。

とはいえ、「ウィルソン大統領」の提唱する「民族自決主義」の適用範囲は、中央同盟国の植民地に限定されている。そのため、吉野作造が連合国側で参戦した日本の植民地である「朝鮮台湾が直接の問題とならない」と指摘したように（『中央公論』三三巻三号、一九一八年三月）、アメリカが主導するパリ講和会議で朝鮮の独立が議論されることを危惧する日本在住の有識者は皆無であった。

†三・一独立運動

ボリシェヴィキの提唱する適用範囲に制限を設けない民族自決を高く評価していた吉野作造の場合、この概念に触発されて朝鮮の独立運動が活性化する可能性を、すでに『中央公論』一九一八年三月号に寄せた「講和条件の一基本として唱へらるゝ民族主義」で指摘していた。しかし、一九一八年八月のシベリア出兵以降、日本ではボリシェヴィキが民族自決を提唱していたことは忘れられていき、何よりもウィルソンの提唱する民族自決の適用範囲に日本を含む連合国の植民地が含まれていなかったことが安心材料となり、吉野のように朝鮮で大規模な独立運動が起こると考える日本人は、同地を統治する朝鮮総督府の関係者を含めて、ほとんどいなかった。

一方、朝鮮人の動向に目を転じると、一九一八年一一月の第一次世界大戦の終結後、海外で活動する独立運動家がウィルソンに接触を試みた。アメリカではのちに韓国の初代大統領になる李承晩《イ・スンマン》が、朝鮮独立への支援と朝鮮人のパリ講和会議参加の許可を求める書簡をウィルソンに送った。上海でも呂運亨《ヨ・ウニョン》が、李と同様の趣旨の書簡をウィルソンの使者に託している。さらに、こうしたアメリカや上海の独立運動家と連携しながら、日本でも早稲田大学など東京の大学に通う朝鮮人留学生が、一九一八年末から、パリ講和会議の開催にあわせて何らかの独立運

アメリカ領事館前を通過するデモ隊（国史編纂委員会編『韓国独立運動史資料 4 臨政篇 IV』国史編纂委員会、1974）

動を起こすことを計画しはじめた。

李承晩や呂運亨は、パリ講和会議で朝鮮の独立が議論される可能性が低いことを認識していた。また、日本の朝鮮人留学生も、フィリピンが依然としてアメリカの植民地のままである状況から、ウィルソンの提唱する民族自決に多大な期待を寄せたわけではなかった。しかし、朝鮮人留学生は一九一九年二月八日に東京で独立宣言書を発表し（二・八独立宣言）、「万国平和会議（パリ講和会議）に民族自決主義を吾族にも適用せんことを請求」するなど、独立の実現に向けてできる限りの手を打ったのであった。

こうした海外の朝鮮人の動きを知った朝鮮半島内の独立運動家も、一九一九年三月一日に京城（現ソウル）で独立宣言書を発表する。そして、この宣言書を手にした学生、農民ら民衆が「独立万歳」を叫びながらデモ行進を繰り広げることで、三・一独立運動が勃発した。デモ行進は京城から朝鮮全土に広がり、三月一日から五月末にかけて一六八三件発生し、延べ人数で一〇〇万人以上が参加した。三月一日の京城のデモ隊がアメリカ領事館前を通過していたことが示すように、民族自決を議題の一つとするパリ講和会議は、三・一独立運動の起爆剤となったのである。

†さまざまな民族自決論

一九一八年一月に日本でセルフディタミネーションが「民族自決」と翻訳されて以降、この概念は被支配民族の独立を意味するものとして理解され、主な論点はその適用範囲であった。そしてウィルソンの民族自決が連合国側の植民地を除外するものだったため、この概念と朝鮮を結びつけて論じていたのは、吉野作造などごく一部に過ぎなかった（吉野の他には、国際法学者の末広重雄がいる）。

しかし、三・一独立運動が勃発すると、その原因究明の一環として民族自決は朝鮮とセットで論じられるようになる。たとえば、外務省政務局長を務めたことのある早川鉄冶《てつや》は、一九一九年六月に刊行した著書で、「民族自決主義といふも、米国其他の御都合主義の一つであつて、之を字義通りに解釈したら、とんだお笑ひ草となる」と述べ、三・一独立運動は「民族自決主義を誤り伝へた事から発生した」と分析している（早川鉄冶『戦後の青年』戦後経営調査会）。同様に、三・一独立運動を鎮圧した朝鮮憲兵隊も、同年六月の会議で、朝鮮人が「民族自決の適用を受け独立」できると「誤解」した結果、「騒擾（三・一独立運動）」が勃発したという認識を示した（朝鮮憲兵隊司令部編『朝鮮騒擾事件状況（大正八年）』巌南堂書店、一九六九）。

以上は、ウィルソンの民族自決は連合国の植民地には適用されないという従来の解釈を踏襲して、朝鮮人の誤解を強調したものである。一方、朝鮮人のナショナリズムを否定するために、民族自決の解釈自体を変更するケースも登場する。

『大阪朝日新聞』は「民族自決」を「民衆の幸福を増進」するためのものと定義し、日本に植民地化されたことで民衆が幸福になった朝鮮には必要ないと述べる。さらに『大阪毎日新聞』に至っては、一九一九年三月四日付の社説「日鮮の融合」において、「朝鮮と日本とは太古以来離るべからざるの親関係」であるから、植民地化によって「自然に復したるものと云ふべき」である。それゆえ、「日鮮同化（朝鮮人の日本人化）を非とするが如き者あらば、之れ寧ろ民族自決主義の最新思潮に反する」と主張し、朝鮮人のナショナリズムを真っ向から否定した（姜東鎮『日本言論界と朝鮮』法政大学出版局、一九八四）。

三・一独立運動は日本で「陰謀」や「暴動」として報道される一方（『大阪朝日新聞』一九一九年三月八日付）、朝鮮の人々が切実に日本の支配からの解放を望んでいることは伝わらず、十分に理解されなかった。それゆえ新聞各紙は、民族自決の解釈を変更して朝鮮ナショナリズムを否定したといえる。

†黎明会、新人会と朝鮮

しかし、三・一独立運動後の日本では、朝鮮人のナショナリズムを理解し、彼らとの連帯を模索する動きも、小さいながらも芽生えていた。

東京の朝鮮人留学生が二・八独立宣言の準備をしていた一九一八年一二月、吉野作造を中心として、大山郁夫、福田徳三など当時の名立たる進歩的知識人を網羅して黎明会《れいめいかい》という思想団体が結成された。黎明会は、第一次世界大戦後の世界が平和と民主主義の進歩に向かっているという認識のもと、「世界の大勢に逆行する危険なる頑冥《がんめい》思想を撲滅すること」を綱領に掲げ、日本社会の「改造」を目指した。

すべての被支配民族を対象とするボリシェヴィキの民族自決を高く評価していた吉野が中心になっていることからもわかるように、黎明会は被支配民族の解放も「世界の大勢」として捉えていた。言い換えれば、帝国主義は日本社会から払拭すべき「世界の大勢に逆行する危険なる頑冥思想」の一つであった。それゆえ黎明会は、日本の植民地支配の状況や三・一独立運動に関心を寄せ、一九一九年三月一九日の例会に、二・八独立宣言を主導した朝鮮人留学生を招いた。新聞報道からは三・一独立運動に参加する朝鮮人の生の声が伝わらないなかで、吉野ら黎明会の知識人は、朝鮮人のナショナリズムに対する理解を深めていった（松尾尊兊『民本主義と帝国主義』みすず書房、一九九八)。

また、黎明会設立とほぼ同じ頃、東京帝国大学の吉野門下の学生を中心として、「世界の文化的大勢たる人類解放」と「現代日本の合理的改造」を綱領に掲げた新人会が結成された。学生団体である新人会も、機関誌『デモクラシイ』の社説で朝鮮の独立を支持し、朝鮮人留学生との連帯の意を表明した(同右)。『デモクラシイ』は朝鮮人留学生も購読しており、慶應義塾大学部に通う廉想渉《ヨム・サンソプ》も同誌に寄稿し、日本人と朝鮮人の連帯が可能であることを示唆した(『デモクラシイ』二号、一九一九年四月)。

以降、帝国主義に批判的な日本の知識人や学生と朝鮮人独立運動家との交流が本格化していくことになる。民族自決は、被支配民族の解放を「世界の大勢」と考える日本人と、日本からの独立を目指す朝鮮人とを思想的に結びつける役割を果たしていたのである。

さらに詳しく知るための参考文献

小野容照『韓国「建国」の起源を探る――三・一独立運動とナショナリズムの変遷』(慶應義塾大学出版会、二〇二一)……一九一九年の三・一独立運動が勃発する経緯を、第一次世界大戦というグローバルな文脈で論じた研究書。朝鮮人の民族自決の受容だけでなく、日本における民族自決認識の変遷も詳細に分析している。

塩川伸明『民族とネイション――ナショナリズムという難問』(岩波新書、二〇〇八)……アメリカ、ヨーロッパ、日本など地域によって意味やニュアンスの異なるネイションと民族、民族自決、ナショナリズム等の概念を、歴史的文脈からわかりやすく説明した著作。

山室信一・岡田暁生・小関隆・藤原辰史編『現代の起点　第一次世界大戦　第4巻　遺産』(岩波書店、二〇一四)……第一次世界大戦の終戦と戦後に関する重要な論考が収められた論文集。とくに同書の第一〇章「「アメリカの世紀」の始動」(中野耕太郎)は、ウィルソンの民族自決や戦後の世界秩序構想について詳細に分析している。

姜東鎮『日本言論界と朝鮮』(法政大学出版局、一九八四)……戦前日本の新聞や雑誌で、植民地朝鮮がどのように報道されたのかを分析した著作。

松尾尊兊『民本主義と帝国主義』(みすず書房、一九九八)……吉野作造が朝鮮ナショナリズムとどのように向き合ったのかを分析した代表的な著作。

コラム7　植民地政策論

平井健介

帝国日本は、法体系と行政機構が異なる「内地」と「外地」から構成されていた。内地とは憲法施行時の領土で、法律が原則として施行され、政府が統治する地域を指し、外地とは憲法施行後に獲得された領土（いわゆる「植民地」）で、特別の法規が施行され、外地行政府（総督府など）が統治する地域を指す。植民地政策における日本的特徴は、内地に外地を指揮監督する機能が十分備わっておらず、外地行政府が内地からある程度自立して政策を立案・実行できたことにある。そして、本書が対象とする大正期は、この特徴が持つ弊害が顕在化していく時代であった。以下では、台湾の経済政策を中心に、このテーマについて概説する（平井健介「日本植民地の経済――台湾と朝鮮」『岩波講座世界歴史二一』岩波書店、二〇二三刊行予定も参照）。

内地に対する外地の自立性は、台湾の統治方針を決定する過程で生み出された。政府は、新領土が日本とは異なる法慣習を持っていたことや、議会勢力の介入を阻止したかったことなどから、「台湾ニ施行スヘキ法令ニ関スル法律」（明治二九年法律第六三号）を発して台湾への法律の施行を制限したり、総督に立法権を委任したりしたほか、総督府官制を制定して、武官のみが就任できる総督に「諸般の政務を統理する」権限を与えた。内地は総督の任免、命令の承認、予算の審議を通じて台湾に介入できたが、台湾の政策を立案・実行したのは政府の各省ではなく台湾総督府であったのである。法律の制限施行は全ての外地に、総督の権限は朝鮮にも適用された。

ただし、経済政策に関する限り、外地の自立性は当初は問題視されなかった。外地行政府の初期の政策目標は、管轄地域の経済を内地の利害に沿って再編することにあり、内地と外地の利害は基本的に一致したからである。台湾の場合、日清・日露戦後の日本が財政難と国際収支の逆調に直面していたことを受けて、総督府は一般会計からの財政出動を要しない「財政独立」と、内地で不足する一次産品を生産する「食料原料基地」化を政策目標に掲げた。そして、総督府は地租改正とインフラ整備などによって経済・財政基盤を整えると、製糖業を育成して日本の砂糖自給に寄与し、一九一三年には「財政独立」を達成した。

しかし、以下三つのパターンによって、内地と外地の利害は次第に乖離していった。第一に、外地行政府が打ち出した独自の経済政策が内地の利害と対立するパターンがあり、一九一〇年代の台湾で打ち出された「南進工業化」構想はその代表例である。

一九一〇年代の民政長官には内田嘉吉《かきち》や下村宏《しもむら》といった逓信省出身の、したがって航路拡張や海外植民に強い関心を持つ人物が就任しており、第一次世界大戦の勃発により東南アジアに対するヨーロッパの影響力が後退すると、東南アジアとの農工間分業を通じての工業化を目指す政策が採られていった。この南進工業化構想に反発したのが外務省であった。帝国内分業の点で外地の工業化は内地にとって必ずしも歓迎されるものでないし、東南アジアへの勢力拡張は日本と欧州列強の関係を悪化させるものと捉えられたからである。台湾では一九二〇年代以降も南進工業化が目指されるが、外務省などから牽制されて十分な成果を挙げられなかった。

第二に、内地の利害が達成されたことで、内地と外地の利害が対立するパターンがあり、代表例として米の輸入代替が挙げられる。一九一八年に米騒動が発生すると帝国内での米の自給が目指され、台湾や朝鮮では米の増産策が実行された。台湾では高収量のジャポニカ品種「蓬萊米《ほうらいまい》」の開発や、嘉南平原約一五万haを灌漑する設備「嘉南大圳《たいしゅう》」の建設が進められ、朝鮮でも「産米増殖計画」が実行された。しかし、早くも一九二〇年代後半には、外地米の移入による米価の低下が内地の農家経営の悪化をもたらすことが問題視され、農林省は外地米の移入を規制しようとした。移入規制は朝鮮総督府からの反発が強かったが、最終的に内地利害に沿って実現された。

第三に、外地相互で利害が対立するパターンがあり、代表例に砂糖の輸入代替がある。帝国内の主要な砂糖生産地は台湾であったが、第一次世界大戦期の砂糖価格の上昇を受けて、北海道や南洋群島を中心に、帝国内の各地で製糖業の育成策が実行された。外地で生産された砂糖は内地に移出されたが、内地の砂糖自給の達成を受けて逆に減産が必要となると、減産の割り当てをめぐって外地相互の利害が対立したのである。内地は主要な砂糖生産地ではなかったため、政府は米の場合のような規制力を発揮できず、過剰な砂糖は中国へ輸出されるか、あるいは国内消費の増大を待って解消されざるを得なかった。

内地・外地間の利害対立は、経済にかぎらず様々な領域で見られた現象である。帝国日本は内地の利害が帝国全体に行きわたる構造にはなかった。共通法の制定、総督の立法権の制限、拓務省の設置など、内外地行政を一体化する試みが続けられていたが、依然として政府・外地行政府間の政策調整に多大なコストを要した。この問題は、戦時統制が開始されるに及んでようやく解消に向かったのである。

第9講
小日本主義と自由主義

望月詩史

†小日本主義とは何か

本講では小日本主義を取り上げる。これは「日本の主権的領土を旧来の主要四島に限定し、経済合理主義と国際協調主義に立脚した平和的発展論」（増田弘『石橋湛山』中公新書、一九九五）と定義される。これに対置されるのが帝国主義、膨張主義を採る大日本主義である。ただし注意したいのは、小日本主義を唱えた人々が「卑小な日本」を望んでいたのではない点である。むしろ自己の主張を実現することで日本及び日本人が世界に雄飛できる、その意味での「大日本」を強く志向していたからである。

さて小日本主義の主要な担い手となったのは東洋経済新報社であり、同社発行『東洋経済新報』（『新報』と略記）を主たる言論の場とした。だが当初より小日本主義の立場を鮮明にしていたのではない。転機は植松考昭《ひさあき》が主幹を務めた時期である。その後、主幹を引き継いだ三浦銕《てつ》

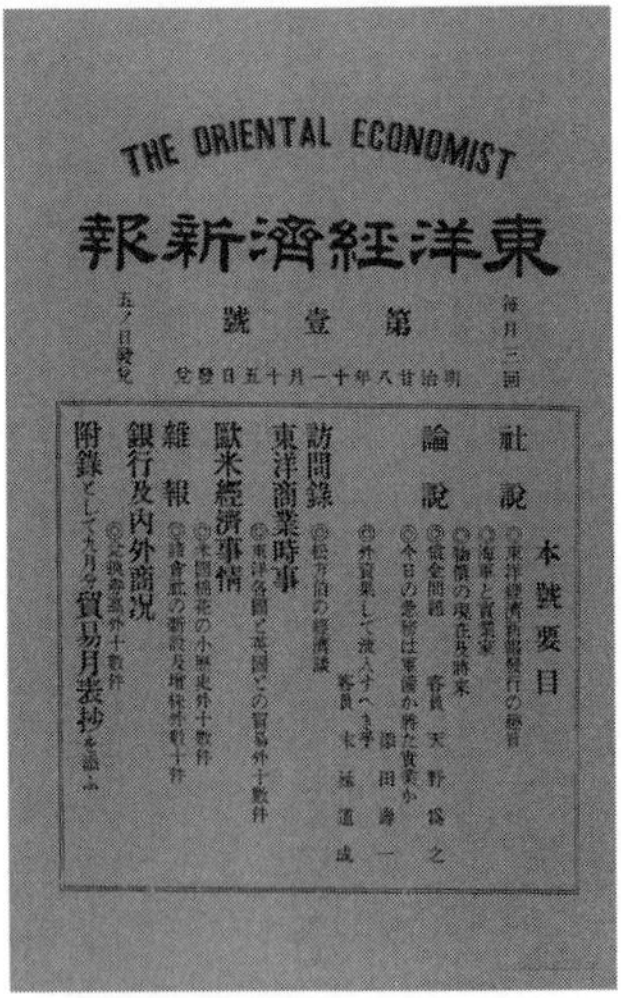

『東洋経済新報』第1号（明治28年11月15日）表紙

太郎《たろう》と石橋湛山《たんざん》により小日本主義は完成段階を迎える。今日では小日本主義を石橋の思想体系の代名詞と理解する人も多いが、彼独自の思想ではないことを念頭に置いておく必要がある。

なお小日本主義の早い用法の一つとして、柏木義円の「柔和なる人、柔和なる国」（『上毛教界月報』六五号、一九〇四年三月）を挙げられるが、キリスト教信仰から導き出される彼の立場は自由主義に基づく東洋経済新報社の立場と性格を異にする。しかし「アンチ大国主義・覇権主義」としての「小国主義」（田中一九九九）として捉えるのであれば、その歴史的水脈を形成した思想として両者を結びつけることも可能である。

ところで東洋経済新報社が小日本主義の主要な担い手であると説明したが、広義に解釈すれば『新報』常連寄稿者（例：清沢洌《きよし》、長谷川如是《にょぜ》閑《かん》）もそこに含められる。本講が対象とする時期よりも後になるが、日中戦争が全面化した時期以降、自由主義者の言論の場が徐々に減少した。その中で東洋経済新報社は『新報』や *The Oriental Economist* の誌面を通じて、その場を提供し続けた。東洋経済新報社は最後まで自由主義の火を灯し続けた貴重な存在だった。

この事実から明らかなのは、東洋経済新報社が自由主義の主要な担い手であったこと、またそれが小日本主義の中核をなしていたことである。実際に東洋経済新報社の小日本主義は経済的自由の要求に始まり、続いて政治的自由の要求にまで拡大した。ちなみに筆者は小日本主義を構成する要素として自由主義以外に、経済合理主義とナショナリズムも重視する。経済合理主義については、上田美和による「自国の経済的利益になるか否かを判断基準に据え、より経済的利益のあがる政策を選択するという考え方」という定義とそれが「戦争を回避しようとする論理」と「結果として戦争経済を下支えする論理」の「両義性」を併せ持っていたという指摘が参考になる（上田二〇一二）。ただし筆者は経済合理主義に内在する便宜主義的性格をより重視する。経済合理主義は経済的損益を政策選択の基準に置く以上、日本を取り巻く情勢が変化すれば選択する政策も変わるからである。

以上を踏まえて、本講では東洋経済新報社の小日本主義に焦点を当てて、その歴史的展開を跡付けたい。

†植松考昭の小日本主義

植松考昭《ひさあき》は一八七六年に石川県に生まれた。東京専門学校卒業後、一八九七年に東洋経済新報社に入社した。日露戦争に従軍し、召集解除後の一九〇六年に主幹となった。

主幹に復帰して以降の植松の関心事の一つは、日露再戦の可能性を想定して軍備の整備を進めるのか否かである。彼は、日本が防御線を朝鮮北部の国境に設定する限り、ロシアが日本に戦争を仕掛ける可能性は極めて低いと判断して民力休養の必要性を説いた。この立場から日本が採るべき方策を提言したのが「経済上の大日本主義」(『新報』一九一二年一月五・一五・二五日号)である。

本論説では大日本主義者が唱える保護貿易主義・保護政策、軍備拡張、外債発行積極論を批判する。たとえば保護貿易主義を「大国民主義に反するの甚しき者」と呼ぶ。日本の経済力や産業を弱化させ、日本の「世界的雄飛の地盤」を破壊しかねないからである。また保護政策を「此上なき因循姑息、此上なき卑屈退嬰《たいえい》、此上なき萎縮消極の政策にして、国家の態度としては又此上なき非大国民の甚しき者と云はざるべからざるなり」と難じた。次に軍備拡張論について、列強の陸・海軍が東アジアに進出する可能性は低く、欧米の政治状況が変化しない限り日本の国防は安全と判断し、この間に民力休養、国力(主に経済力)の増進を図れと説いた。

ところで植松は、本論説で繰り返し大日本主義者の主張を「大国民主義に反するの甚しき者」、「其内容の小日本的小規模的の甚しき、殆んど大国民たるの雄大なる抱負と器度とを見る能はざる議論の一例」、「小国民的、亡国的、退嬰的、畏縮的の消極論を聞くこと多きを悲まざるを得ず」と批判している。注目すべきは、大日本主義を批判するが「大国民主義」「大国民」に肯定的だったことである。先行研究はほとんど注目しないが、東洋経済新報社の小日本主義は「世界の中の日本」を強く意識し、帝国主義以外の方法で日本・日本人の存在感を世界に示すことを強く志向していた。

大日本主義の政策を批判した植松は、「経済上より見たる我殖民地の価値」(『新報』一九一二年二月五・一五・二五、三月五日号)で植民地領有の経済的価値を検討し、現時点で「経済上の大なる損失なり」と結論付けた。ただ植民地領有が今後も日本に損害を与え続けるとは限らない。そもそもこれまでの損害は植民政策の誤りが原因であり、適切な改革(同化政策の撤回、農業移民の奨励など)を実行すれば将来の損害を回避し利益も得られるからである。よって「過去に於ける損害の故を以て、今日直ちに殖民地を放棄すべしとの説に加担する能はず」と論じた。この発想に経済合理主義を見出せる。

植松の小日本主義はこれまでほとんど注目されず、また松尾尊兊《たかよし》による「小日本主義は三浦から石橋へ継承された」という図式も定着していた。しかし増田弘はこれに疑問を呈する。そして今後、「小日本主義は「植松から三浦を経て湛山へと継承されて完成した」と修正されねばならないであろう」と論じた。根拠としたのが「経済上の大日本主義」であり、これが『新報』誌上に小日本主義の旗幟を鮮明にする画期的論説」と評価し、「大日本主義のアンチテーゼとしての小日本主義」を経済面から提起したのが植松、それを政治・外交面で補足したのが三浦、「思想上の完成段階」に導いたのが石橋と結論付けた（「植松考昭の対外政策論」『石橋湛山研究』第二号、二〇一九年三月）。

†三浦銕太郎の小日本主義

植松を継いで主幹を務めたのが三浦である。三浦は一八七四年に静岡県に生まれた。東京専門学校卒業後、一八九九年に東洋経済新報社に入社した。一九一〇年に『東洋時論』編集責任者となり、一九一二年に合資会社東洋経済新報社代表社員主幹に就任して同社を主宰、一九二五年に株式会社東洋経済新報社専務取締役主幹を辞任、後任に石橋湛山を推した。

まず対外政策について、三浦は帝国主義を「国民の膨張主義、領土拡張主義」と規定し、植民地経営は収支が伴わず、得られたのは「感情の愉快」と「国民の自負心の満足」に過ぎないと喝破した（「帝国主義の暗影（上）」『東洋時論』一九一一年三月号）。そして日露戦後の経済問題とそれに端を発する思想問題などはすべて帝国主義政策に原因があり、問題解決には「帝国主義の思想、軍国主義、併呑主義を放擲《ほうてき》するの一あるのみ」（「諸戦役後の英国と日露戦後の日本（六）」『新報』一九一二年一二月二五日号）と説いた。その三浦の最大の関心事は「満洲放棄か軍備拡張か」に向けられた。

この問題に対して、自らは日本の国防線を旅順、朝鮮国境に置くという「満洲放棄論者」と明言する。そして満洲放棄によって日本の「国運の発展、福祉の増進と一致し、国際間における我が国の勢威隆望をますます拡張せしむる最良の政策なりと信ずるものなり」と論じた（「満洲放棄か軍備拡張か（一）」『新報』一九一三年一月五日号）。日本の満洲掌握や大陸への勢力拡張を「大損ありて一利なし」と判断したからである。しかし領土拡張と国家の発展を無縁とも考えない。それは条件的であって絶対的ではないからである。あくまでも現状では両者が対立しているという認識だった（「満洲放棄か軍備拡張か（三）」『新報』一九一三年一月二五日号）。ということは状況次第では両者が結び付くことになる。この発想に経済合理主義を見出せる。

以上を踏まえて「大日本主義か小日本主義か」（『新報』一九一三年四月一五・二五、五月一五・二五、六月五・一五日号）が執筆された。まず大日本主義は大英国主義、小日本主義は小英国主義と思想的に一致すると述べた上で、大日本主義・小日本主義の相違点を明らかにする。いずれも「国運の発展、民福の増進」を目指すが方法が異なる。大日本主義が領土拡張と保護政策を採り軍事を商工業よりも優先する（大軍備主義）のに対して、小日本主義は「内治の改善、個人の自由と活動力との増進」を採り商工業を優先する（小軍備主義）。こうして三浦は大日本主義の性格を軍国主義、専制主義、国家主義、一方の小日本主義の性格を産業主義、自由主義、個人主義に見出した。

ところで小日本主義を支持する三浦は、民衆の政治的台頭を肯定的に捉えていたが、一方で民衆の政治的感情は適切に利導されなければ建設作用よりも破壊作用が上回るという懸念も抱いた。そこで「一日も早くこの恐るべき大勢力に組織を与え、これを建設的のものに引き直す工夫を立てることが、一番大切だ」（「最近政変の真相（十）」『新報』一九一四年一〇月二五日号）と論じ、また普通選挙実施の必要性も訴えた。

以上のように三浦は小英国主義を念頭に置いて小日本主義の立場を鮮明にした。しかし松尾は、小英国主義を受け売りにしていたのではないという。発想の根拠はそこに置くが「現実の日本の政治・経済状態の分析にもとづいて独自の論点を打ち出した」といえるからである（『民主主義と帝国主義』）。加えてナショナリズムも作用していたと考えられる。三浦も植松と同じく「世界の中の日本」を強く意識していたからである。たとえば帝国主義の放棄により国際社会における日本の威望と信用が向上すると期待していたことからも窺い知れる。

†石橋湛山と自由主義

三浦を継いで主幹を務めたのが石橋である。石橋は一八八四年に東京に生まれた。早稲田大学卒業後、東京毎日新聞記者を経て、一九一一年に東洋経済新報社に入社し『東洋時論』編集に従事した。一九一二年に同誌廃刊に伴い『新報』記者に転じた。一九二五年、三浦を継いで専務取締役主幹に就任した。

まず石橋が小日本主義を完成段階に到達させることができた背景として、彼の自由主義に注目する。第一に自由主義の性格について、松尾は「急進的自由主義」と評価する。石橋にとって小日本主義は「急進的自由主義」の「急進性」を特徴付けるものと理解するからである。それに対して八木紀一郎は「国家を不要とする「リバータリアニズム」を想起させるので問題がある」(『近代日本の社会経済学』筑摩書房、一九九九)と指摘する。また姜克實は「漸進的な自由主義」と評価する(『石橋湛山の思想史的研究』早稲田大学出版会、一九九二)。

第二に新自由主義(New Liberalism)について、石橋がジョン・アトキンソン・ホブソンやレオナルド・ホブハウスらの新自由主義の影響を受けており(宮本盛太郎『日本人のイギリス観』御茶の水書房、一九八六)、その思想的立場が「個人の自立と経済活動の自由を原則的に重視する「新自由主義」の範疇に入る」(前掲『近代日本の社会経済学』)という見解がおおむね支持を得ている。そもそもホブハウスらにとって「自由」とは「個人が社会の中で道徳的、知的な能力を最大限に発展させ、よき市民として社会に参加する機会を持つこと」を意味した。ホブハウスの場合、自由放任主義を「非社会的な自由」と批判し、それに「社会的自由」を対置させ、また国家には「「自由な発展のための機会」を平等に保障する」役割を求めた(田中拓道『リベラルとは何か』中公新書、二〇二〇)。石橋も「新自由主義の発達」(『新報』一九一五年三月二五日号)で自由放任主義の功罪や資本の分配に言及しながら新自由主義の発達を論じており、それは「個人主義と社会主義との統合」とし、これを「近代に於ける人類の挙げた功績の中、最も偉大なるもの」と評した。

ただし石橋が国家の責任を強調する新自由主義を評価したのは、ホブハウス『自由主義』（一九一一）からの影響だけではない。大学在学中に自由放任主義への批判的見解を抱いた可能性もある。その根拠は、第一に社会進化論の影響、第二に田中王堂《おうどう》を通じてプラグマティズムと「欲望統整」哲学を学んだことである（社会進化論及びプラグマティズムと新自由主義の関係性は佐々木毅「二十世紀の自由主義思想」（同編『自由と自由主義』東京大学出版会、一九九五）が詳しい）。この哲学では「調和統一（＝一元化）」作用が重視されるが、石橋はこの作用を国家にも応用した。個人と国家はいずれも多元性が存在する点で共通しているからである。前者は多元の欲望、後者は多元の欲望を持つ多元の個人の存在である。多元の欲望を持つ個人が一個の人格として成立するのは欲望を「調和統一」しているからである。これと同じく、多元の個人から成る国家も秩序を形成・維持するために同様の働きが生じる。国家の場合、石橋はその作用の一つを議会に求め、それが機能するためにも普通選挙制を要求した。

まず国内政治に関して、国民主権論を明確に打ち出し、デモクラシーの深化のために男女普通選挙の実施と比例代表制に基づく議院内閣制＝責任内閣制の確立を唱えた。他方で国家における「調和統一」の働きを天皇・皇室にも求めた。皇室を「国民の全感情を統一集注せる」存在であり「国民意識を代表し、国民の崇拝の的となる存在」と位置付け、天皇を立憲君主と見なして、その存在意義を「一国の政治機関の最高点に立ち、国民の政治的感情の焦点を代表」する点に見出していたことからも明らかである（望月二〇二〇）。

国内経済について、「人」中心の産業革命を唱えた。これは「生産の側面から云えば人類の能力を、消費の側面から云えば生産された財の価値を、極度に発揮する如く社会組織を変化すること」を指し、四大綱目として最低賃金の設定、労働時間の制限、衛生設備の整備、教育の無償化を挙げる（「「人」中心の産業革命」『新報』一九一六年九月五・一五・二五日、一〇月五・一五・二五日号）。また産業上の民主主義として労働者に経営権を拡大する提案をした。石橋は労働問題の根本原因が「産業上における資本家の専制政治」の形態にある以上、温情主義では解決できないとみる。そこで政治権力の担い手が少数者から多数者に拡大したように、経営権も労働者に開くべきと説き、また「総ての事業は、之に従事する総ての人が、皆責任感を持つことに依って、最も良く経営せらるる」の考えに基づき、イギリスのホイットレー委員会が提案する工場委員会を参考に労働者が経営に参加する経営委員会案を作成した（「如何にして此労働不安を除くべき」『新報』一九二〇年一月二四日号)。新自由主義との関係では米専売制度の提案も注目される。石橋は公共財の国家管理を認め、国家による経済活動に対する一定の介入を認めていた。

対外政策では植民地放棄と軍備撤廃の主張が際立つ。第一次世界大戦により既存の国際秩序が大きく動揺すると予想した石橋は、主に軍事力に依拠した列強諸国による弱小国支配は終焉に向うと判断した。この大勢の中で日本は弱小国の味方となり、その解放を後押しする「使命」を負うと考えた。そして使命を果たすことで日本は弱小国から「道徳的信頼」を獲得でき、また「東亜の盟主」・「世界的盟主」として仰がれる存在となり、その結果、日本の国際的位地が向上すると期待した。この観点から打ち出されたのが植民地放棄と軍備撤廃である(「一切を棄つるの覚悟」『新報』一九二一年七月二三日号/「大日本主義の幻想」『新報』一九二一年七月三〇、八月六・一三日号)。だがワシントン体制の成立以降、植民地放棄論は影をひそめる。

小日本主義は三浦から石橋へ継承された。帝国主義批判や植民地経営の不経済を明らかにした点はほぼそのまま石橋にも受け継がれたが、三浦の帝国主義批判は「理想主義的色彩が強く」、一方の石橋のそれは「経済理論・経済思想に裏打ちされた、現実性のある小国主義の方法論・技術論」(姜二〇一四)と評価される。また石橋は満洲を含む全植民地の放棄を唱えたり、さらに強固な使命意識も抱いていたりと、両者の間には相違点も確認できる(望月二〇二〇)。

†小日本主義の評価

植松、三浦を経た小日本主義は石橋によって完成段階に達したと評価されるが、それを可能としたのは、石橋独自の思想の影響を除くと、第一に三浦の時点で小日本主義が理論的に発展していたこと、第二に日露戦後の国内における民衆の政治的台頭、第一次世界大戦を契機とする国際的なデモクラシー、平和気運の高揚などの大正期における国内外の情勢である。

このことを陸上競技の事例を引き合いに出して考えてみたい。陸上競技のいくつかの種目（一〇〇m、二〇〇mなど）では、毎秒二m以上の追い風の中で出された記録は参考記録の扱いとなり公式記録として認定されない。たとえば日本人選手が一〇〇mを毎秒二m以上の追い風を受けて日本記録より早く走っても記録更新とならない。しかし強い追い風を受けたとしても、高いスプリント技術とそれに耐えうる筋力が備わっている選手（地力のある選手）でなければ、到底日本記録を超えられない。石橋の小日本主義も同じように考えるとよい。彼がこの時期に小日本主義を展開する上で国内外の情勢は明らかに強い追い風だった。とはいえ同時期に誰もが植民地放棄や軍備撤廃を主張したのではない。やはり小日本主義が植松、三浦によって徐々に発展していたからこそ（つまり地力が備わっていた）、そこに石橋独自の思想が掛け合わさることで他に類を見ない言論を展開できたのである。この時期の植民地放棄論などの主張を「追い風参考記録」と見るか否かの見解は分かれるが、筆者は前者の立場を採る。よって特徴的な言論が影を潜めたとしても、それを根拠に小日本主義の変容と考えない。時々の情勢の中で可能な限り、「個人の自由と活動力との増進」を図り（自由主義）、それを通じて「国利民福」を追求し続ける（経済合理主義とナショナリズム）点に小日本主義の本質があると考えれば、言論内容が変化するのは当然である。それを現実追随や日和見と見るのか、それとも柔軟さと見るのか、評価は未だ定まっていない。

最後に小日本主義をめぐる論点について補足しておく。大正期以降、国内外の情勢の変化に伴い、この時期に展開された主張が影を潜めるだけではなく、それらと対立する言論も見られた。そのため「小日本主義が一貫したのか否か」が、長年にわたって重要な論点だった。ただし一九九〇年代に、小日本主義は戦後まで「一貫」「連続」した、という評価が定着した（増田弘『石橋湛山』）。近年は「そもそも小日本主義をどのように捉えるのか」、「分析枠組みとしてどの程度有効なのか」が新たに論点として加わった（上田二〇一二）。

さらに詳しく知るための参考文献

松尾尊兊『民主主義と帝国主義』（みすず書房、一九九八）／同『近代日本と石橋湛山――『東洋経済新報』の人びと』（東洋経済新報社、二〇一三）……著者は自らの『新報』研究と石橋湛山研究の意義について「一つは大正デモクラシーの歴史の中で『新報』なり湛山を位置づけていること、もう一つは明治以来の東洋経済の伝統の中で湛山を捉えたことだと思う」と語る。確かに『石橋湛山全集』の刊行以降、「初めに湛山ありき」の研究が増えるにつれて、小日本主義が石橋の思想体系の代名詞として理解される傾向が強まった。ただ小日本主義が石橋独自の思想ではないことは本講の内容からも明らかである。この点をいち早く解明したのが著者による一連の『新報』、石橋研究である。これらの二冊にはそのエッセンスが凝縮されている。

姜克實『石橋湛山』(吉川弘文館、人物叢書、二〇一四)/増田弘『石橋湛山』(ミネルヴァ書房、ミネルヴァ日本評伝選、二〇一七)……石橋研究の第二世代を代表する研究者である。両者は小日本主義が戦後まで「一貫」・「連続」したという立場を採る。ただし小日本主義の理解には差異を確認できる。二冊はいずれも評伝だが、学問的知見も十分に盛り込まれている。また参考文献リストには出版時点までの主要な石橋研究や東洋経済新報社研究が網羅されているので利便性が高い。

田中彰『小国主義』(岩波新書、一九九九)……著者は「未発の可能性」として小国主義の歴史的水脈に注目する。岩倉使節団に始まり、植木枝盛、中江兆民、内村鑑三らを経た後の小国主義の「大正デモクラシー的な発現形態」として三浦と石橋の小日本主義を位置付ける。

上田美和『石橋湛山論――言論と行動』(吉川弘文館、二〇一二)/望月詩史『石橋湛山の〈問い〉――日本の針路をめぐって』(法律文化社、二〇二〇)……石橋研究において第三世代に位置付けられる研究者によって提起されたのが小日本主義概念の再検討である。これらの研究は主に第二世代からの反発を招いたが、小日本主義をめぐる研究に一石を投じたのも事実である。

コラム8 国際協調主義

酒井一臣

国際協調は、世界中と仲良くするという程度の意味で使われることが多い。しかし、国際協調主義として外交思想になったのは、第一次世界大戦後のことである。それは、悲惨な大戦への反省から、自国の利益だけを追求せず、国際社会全体の調和をめざして外交を行うべきだとの思想であった。

こうした思想が現れた背景は、ひとつには世界市場の一体化など経済的相互依存が高まったこと、いまひとつは対外政策に民主的か否かといった基準となる国際正義があると考えられるようになったことがあった（小林啓治「二大政党制の形成と協調外交の条件」井上寿一編『日本の外交』第1巻、岩波書店、二〇一三）。民本主義を主唱した吉野作造の表現を借りれば、「世界の進歩が日本の進歩」であり、「国際的正義の確立」が「世界の大勢」となったのである（「世界の大主潮と其順応策及び対応策」一九一九年一月）。

日本は大戦中に生産力の低下した欧州に代わってアジアを中心に貿易を拡大し、空前の好景気を経験した。経済のグローバル化による利益は日本社会が実感したことだった。一方、一七世紀半ばに成立したウェストファリア体制下では、戦争に正邪の判断を持ちこまないことになっていた。ところが、アメリカ大統領ウッドロウ・ウィルソンの提唱した一四カ条の平和原則（一九一八年）では、公開外交・自由貿易・植民地主義の否定こそが正義であると強調された。新たな正義に従うことも、国際連盟の理事国になったことなどで日本に不利益はないと考えられた。

では、どの国と協調するのか。日英同盟（一九〇二年）を前提にイギリスと協調して、帝国主義秩序を維持するのが、日本外交の基本方針だった。しかし、初の本格的政党内閣を組織した原敬首相は、アメリカの台頭を重視した。原の見通しは正しく、その後はアメリカの動向が日本外交を左右することになる。一九二〇から三〇年代初頭の日本外交は、ワシントン会議・中国への非干渉政策・不戦条約締結・ロンドン海軍軍縮会議など、英米との協調を重視して展開された。国内的にも政党政治が行われて大正デモクラシーが進展した。しかし、この雰囲気は一九三一年の満洲事変で一変した。大衆は軍部の満洲侵略を歓呼し、日本社会は軍国主義に急速に転じていったのである。

一般に、日本の変貌は、国際協調主義だった、大正デモクラシーだったにもかかわらず現出したかのように考えられがちである。本当にそうだったのか考えてみたい。

経済的相互依存と国際正義がなくなれば、国際協調主義の前提が崩れることになる。

じじつ、大正期の日本は大戦景気が終わると経済不況が続き、経済的相互依存の恩恵を感じることが少なくなった。また、早くも一九一八年に近衛文麿（日中戦争時の首相）が「英米本位の平和主義を排す」という論文で指摘したように、国際協調主義がもたらす平和は英米両国に都合がいい国際体制に過ぎないとの批判があった。排日移民法の成立（一九二四年）は、多くの日本人に当時の国際正義への懐疑を生じさせた。つまり、国際協調主義を足許から崩壊させる環境になっていた。そうだったにせよ、ロンドン軍縮会議を成功させた浜口雄幸首相は軍部を抑える力量があったし、満洲事変時の外相は国際協調主義をかかげる幣原喜重郎《しではらきじゅうろう》外相であった。つまり、「にもかかわらず」は消えないのである。

では、視点を変えて、世論は国際協調主義を支持していたのかを考えてみたい。国際協調主義は「正しい」思想だったので、それは支持されたはずだというのは思い込みではないだろうか。経済的苦境に立たされていた大衆は、他国の利益を侵害してでも自分に利益があると思われる、いや鬱憤晴らしとなるのであれば、そうした外交でも一向にかまわないと思っていたのではないか。こうした声が直接史料に残ることは少ないが、極端な日本の利益最優先を訴える当時の一部の論調は無視されたのではなかったのかもしれない。それは、現代のアメリカのトランプ主義への根強い支持から、また学術的批判には耐えられないような史論を展開する書籍がベストセラーになる昨今の状況から、容易に類推しうる。くわえて、エリートの訴える理想に世論が反発するのは珍しいことではない。目の前の生活に光明がみえない状況で、自国の利益のみを追求せず、世界のために外交を行えといった主張に共感した大衆は多くなかったはずである。そうであれば、国際協調主義だったからこそ、それを否定する声が一挙に盛りあがったといえる(酒井一臣『帝国日本の外交と民主主義』吉川弘文館、二〇一八)。

くわえて、大正デモクラシーの進展により、政治家は世論の動向にますます気をとられるようになっていた。つまり、世論が国際協調主義に反発とはいわないまでも無関心であったのならば、国際協調主義が否定される状況で、その波に乗るという選択が主となったのは不思議ではない。実際、政治家や新聞は、「皇軍」の満洲侵略を称えたのだった。いわばポピュリズムの時代が到来していたわけであるが、それは大正デモクラシーの産物であった(筒井清忠『天皇・コロナ・ポピュリズム』ちくま新書、二〇二二)。そう考えれば、大正デモクラシーだったからこその国際協調主義から軍国主義への急転回だったといえるのである。

第10講
女性解放思想

小嶋　翔

†〝性〟を問う主体の登場——平塚らいてう「元始女性は太陽であつた。」

本講の課題は大正期の女性解放思想史である。しかし、具体的に何をどうすることが「女性解放」なのか。このことについて、女性解放に取り組んだ歴史上の人々の間に共通見解があったわけではなく、また当然ながら、決まった正答などもない。むしろ女性解放の歴史とは、この問いのより良い答えを絶えず探し求めてきた歴史だとも言える。解放のためのあらゆる実際運動も、そうした思想探求の上に行われたのである。

女性解放のような議論は明治期にもあった。福沢諭吉や森有礼《ありのり》といった啓蒙思想家は、文明開化の時代に適った新しい女性論を唱えた。自由民権運動家の植木枝盛《えもり》、社会主義者の堺利彦なども先進的な女性解放論者として知られる。また、そうした中に岸田俊子や福田英子《ひでこ》といった女性の先駆者も現れた。しかし、そこでの議論はあくまで文明化、民権、社会主義といったより大きなテーマの一部であり、議論を牽引したのも男性知識人だった。そう考えると、日本における本格的な女性解放思想の起点となるのは、やはり雑誌『青鞜《せいとう》』（一九一一～一六）である。

『青鞜』は平塚らいてう（本名：明子《はるこ》、一八八六～一九七一）、中野初子《はつこ》、保持研子《やすもちよしこ》、木内錠子《ていこ》、物集和子《もずめ》の五人を発起人に一九一一（明治四四）年に創刊された。日本で最初の、女性による女性のための思想探求の場である。創刊号に掲載された平塚「元始女性は太陽であつた。」は女性解放の宣言として今日でも名高い。しかし、この頃の平塚の思想探求は、女性として生きるとはどのようなことなのかを、孤独の中で深く哲学的に内省するものだった。「元始女性は太陽であつた。」で平塚は、高等教育や就業機会、参政権を与えられることや、家庭・実社会における様々な抑圧から解放されることについて、「それが何で私ども女性の自由解放であろう」と突き放す。平塚は、制度や慣習の改良は表面的な「方便」「手段」に過ぎないとして、精神や人格のレベルで女性が自分自身の主（「自主自由の人」）となることを求めた。そして、そのためには世間一般で通用する女性らしさにとらわれず、自身の内面奥深くにある「真我」を発見して、それを表現すべきだと説いたのである。

こうした考え方は、常識的な女性らしさ、女性役割を求める現実社会と対立する。「新しい女」として世の嘲笑を受けた平塚の思想探求は、常に「真我」と現実社会との軋轢の中で行わ

万年山の青鞜社にて、前列左から田辺操、物集和子、清瀬、小林哥津子、後列左から木内錠子、らいてう、中野初子、石井（和田）光子、小磯とし子（『平塚らいてう著作集 補巻』）

れる苦渋に満ちたものだった。しかし平塚は、「苦悶、損失、困憊《こんぱい》、乱心、破滅すべてこれらを支配する主人もまた常に私であった」と、その苦渋をすべて引き受けた先に女性としての主体的な生き方を見出した。〝性〟を問う主体とはかくあるべしと、平塚は思想において、生き方において示したのである。

†産む性であることの困難

『青鞜』創刊号の巻頭を飾ったのは、その頃すでに女性文学者、言論人として確たる地位にあった歌人・与謝野晶子（一八七八〜一九四二）の詩「そぞろごと」である。『青鞜』創刊を称えた「山の動く日来《きた》る」の表現が有名なこの詩は、「一人称にてのみ物書かばや。われは女《をなご》ぞ。」と女性の主体性を力強く表現した。

その与謝野は、『青鞜』創刊と同じ一九一一年に最初の評論随想集『一隅より』を刊行したが、その巻頭作品は「産屋《うぶや》物語」と題された出産の感想記である。すでに三男四女の母だった与謝野はその中で、「産という命がけの事件には男は何の関係《かかわり》も無く、また何の役にも立ちません」「国家が大切だの、学問がどうの、戦争が何のと申しましても、女が人間を生むというこの大役に優るものは無かろう」と記した。産む性である誇りは、男性優位社会の中で与謝野が女性として自己を毅然と表現するための支えだった。しかし、『一隅より』所収の別の随想「雨の半日」では、「子供に対する親の義務を感ずればこそ自分は心にも無い書き物に急がしい日送りもする」「子供があるので自分の足は地の上へ釘付けられ、幾百億の凡人が過去に見、現在に見ている平俗な世間を自分も見る」と、母としての扶養責任（この頃、夫・与謝野寛には収入がなかった）のために自由な創作活動がままならない自分を自虐的に描いている。「一人称にてのみ物書かばや。われは女ぞ。」という力強い「われ」もまた、こうした葛藤とともにあった。

このことは『青鞜』同人たちも例外ではない。一九一三（大正二）年の青鞜社公開講演会で岩野清子は、女性が「思想の自由と独立」のために「自分の道を歩いて行こうとする」なら、「自分一個でも生きて行くことの出来る用意、経済上の独立の出来る用意の覚悟」が無くてはならないと論じた（「思想の独立と経済上の独立」『青鞜』三巻三号）。翌一九一四（大正三）年には平塚らいてうが伴侶・奥村博史と法律に拠らない夫婦関係を結んで実家を出るが、その感想記「独立するに就いて両親に」（『青鞜』四巻二号）で平塚は、経済的・精神的に余裕が無いので子どもは持たない、「自己を重んじ、自己の仕事に生きているものはそう無暗に子供を産むものではない」と記した。こうして『青鞜』同人たちは、産む性であることをめぐって議論を深めていく。

†〝性〟の自己決定権をめぐって

『青鞜』はその短い歴史の中でいくつかの論争の舞台となったが、原田皐月《さつき》の短編小説「獄中の女より男に」（『青鞜』五巻六号）をきっかけとする論争は「堕胎論争」（一九一五）と呼ばれる。この小説は、堕胎罪に問われた女性が取り調べの内容と感想を獄中から恋仲の男性に手紙で書き送るという作品である。取り調べの中で主人公の女性は、堕胎の理由は親としての責任を果たす準備が無いからだとしつつ、妊娠したすぐ後ならば独立した生命や人格を持たない母親の体の一部ではないかと言って、「自分の腕一本切って罪となった人を聞いたことがありません」と啖呵《たんか》を切る。『青鞜』はこの作品のために発禁処分を受けた。

原田の小説は〝性〟に関する女性の自己決定の権利を問題にしている。しかし、『青鞜』同人の間でもこの問題提起に対しては反応が分かれた。伊藤野枝《のえ》（一八九五〜一九二三）は、どうしても育児ができないなら避妊もやむなしとしつつ、「一旦妊娠してからの堕胎ということになって来ればそうはいかない」「自然を侮辱したものではないでしょうか、『生命』というものを軽視した行為ではないでしょうか」と否定的だった（「私信」『青鞜』五巻六号）。また、人類に起こる様々な不幸を「自然の法則に逆った」結果だと考える山田わかは、「堕胎も避妊も等しく大きな罪悪だ」と論じた（「堕胎に就て」『青鞜』五巻八号）。

望まない出産（あるいは妊娠も含め）を避けることに批判的な議論が『青鞜』で行われたことは現代から見れば意外かもしれないが、そこには性愛と生殖の未分離という問題がある。性愛とは自立した人格同士による相愛関係の確認という意味で個人的行為である一方、生殖とは子どもの扶養責任を引き受ける覚悟を要する点で社会的行為と見なし得る。しかし、実際行為としてはしばしば同一であるこの二つをしいて区別する現代のような考え方は、この時代はまだ定着していない（荻野美穂『「家族計画」への道』二〇〇八）。

この問題を熟考したのは平塚らいてうである。「個人としての生活と性としての生活との間の争闘に就いて」（『青鞜』五巻八号）で平塚は、「私もまたある時は避妊の実行者でした」と率直な告白をした上で、しかし避妊という行為には「烈しい醜悪の感」を覚えたと言う。その理由は現代人にはわかりづらい。相愛の「異れる人格が結合」する性愛において、「未来の子供のことや、その種族に及ぼす影響」といった社会的事柄を先回りして心配し「ある用意をする」、すなわち避妊をするのは、「ふたりの愛を汚辱する堕胎よりもむしろある意味で恐るべく、厭うべき醜い、そして苦しい行為」だと平塚は言うのである。

「バース・コントロール」の訳語としての「産児調節」(避妊)が広く認知されるのはこの後のことである。一九二〇(大正九)年八月には『婦人公論』が避妊を特集し、一九二二(大正一一)年にはアメリカの産児調節論者マーガレット・サンガーが来日して議論を呼んだ。避妊はその後、〝性〟に関する女性の自己決定の問題というよりも、貧困対策や優生政策の観点から次第に容認されていく。『青鞜』の女性たちもまた、こうした過渡期を生きていたのである。

†人間としての平等か、女性としての権利か——母性保護論争(一九一八)

平塚らいてうをはじめ『青鞜』同人たちは、男性優位社会に都合のよい女性らしさを拒否したが、それは堕胎論争でも見られたように、女性としての「自然」(と思われるもの)を重視する思想傾向を生じさせた。ここに、産む性であることを女性の「自然」として積極的に意味づけし直す思想が現れる。思想としての「母性」の登場である。かつて「そう無暗に子供を産むものではない」と記した平塚も、第一子を出産した一九一五(大正四)年には「母たらんとする欲望が実は自分の愛の中にも潜んでいる」と、みずからの裡《うち》に母性を発見したことを告白している（前掲「個人としての生活と……」）。

このことについて平塚が大きな影響を受けたのは、母性の社会的意義を強調して母子の権利擁護を唱えたスウェーデンの社会思想家エレン・ケイである。産む性であることの困難とは、しばしば経済的な困難を伴うものである。そのため、母性を女性の本質と見た平塚は、ケイの思想にならい、母性を守る（母性保護）ための法制度を女性の社会的権利として要求すべきだと考えるようになる。

一九一八（大正七）年の母性保護論争は、戦前における女性知識人の論争としては最もよく知られたものだろう。論点は母性保護を国の社会保障政策として行うことの是非である。この論争で平塚の母性保護の主張に強硬に反対したのは、かつて『青鞜』創刊号に登場した与謝野晶子だった。与謝野は「婦人はいかなる場合にも依頼主義を採ってはならない」として、女性は男性の経済力に頼ることなく、自分ひとりで子どもを養育し、教育を与えられるほどの経済力を持つべきで、それができないなら結婚も出産もしてはならないと頑なな経済的独立論を唱えた（「女子の徹底した独立」『婦人公論』一九一八年三月）。与謝野はそれ以前から、男女の性差は表層的な問題に過ぎず「人間の万事は男も女も人間として平等に履行することが出来る」と考え、また人生のあり方も多様な可能性から個々人が自由に選択すべきものだとして、母性を女性の本質として強調することに批判的だった（「母性偏重を排す」『太陽』一九一六年二月）。

これに対し平塚は、特に貧困状態にある女性の出産・育児を経済的に保護することは国家・社会の安定と発展につながるとして、個人主義的な人生観から母性保護を経済的依存だと見なす与謝野を批判した（「母性保護の主張は依頼主義か」『婦人公論』一九一八年五月）。

男女同等の自立の可能性を信じる与謝野と、女性の権利として社会保障を要求する平塚という対極的な主張の背景として、第一次世界大戦（一九一四〜一八）の影響は重要である。ヨーロッパの主要参戦国では、出征した男性の不在を埋めるべく女性の社会進出が進み、その社会的地位もおのずと向上した。一方、日本国内では大戦に伴う急激な物価高騰で国民生活は混乱した。大戦中の一九一七（大正六）年にロシアの帝政が革命で倒れたことは労働運動の機運を高めた。こうした情勢下で、国家は国民生活を保障する政策の必要性を認めざるを得ない時代を迎えつつあった。女性知識人による母性保護論争も、そうした時代潮流を象徴する一幕である。

†権利を求めて――新婦人協会（一九一九〜二二）

母性保護論争の翌一九一九（大正八）年、女性の政治的・社会的権利獲得のための運動団体・新婦人協会が結成された。中心になったのは平塚らいてうと、後に女性参政権獲得運動の指導者となる市川房枝《ふさえ》（一八九三〜一九八一）で、協会綱領では「男女の機会均等」「婦人、母、子供の権利を擁護」といった理念が掲げられた。具体的に目指したのは治安警察法第五条改正と花柳病《かりゅう》男子結婚制限立法の実現である。翌一九二〇年二月には、全国から寄せられた約二〇〇〇人の署名とともに帝国議会に請願書を提出した。

治安警察法とは一九〇〇（明治三三）年に制定された法律で、その第五条一項は、軍人、警察官、宗教者、学校教員・生徒に次いで「女子」の政治結社（政党）への加入を禁じていた。また、第五条二項は「女子及未成年者」が政治集会に参加すること、また政治集会の発起人になることを禁じていた。協会の請願は、両項の改正により女性の政党加入、政治集会への参加を可能にするよう要求するものだった。一九二一（大正一〇）年には協会発起人の平塚・市川が疲労や幹部間での感情的齟齬《そご》のために相次いで離脱したものの協会は活動を継続し、ついに一九二二年三月、第五条二項から「女子及」を削除する改正案が衆議院と貴族院を通過、女性の政治集会参加を認める法改正が実現する。

この改正では政党加入の権利は得られず、また同時に行った女性参政権実現の請願も功を奏さなかったが、女性の政治的権利拡大という第一次世界大戦後の国際的潮流は日本も例外でなかった。協会は一九二二年に解散するが、参政権獲得運動は市川や久布白落実《くぶしろおちみ》らを指導者とする婦人参政権獲得期成同盟（一九二四〜四〇、結成翌年に婦選獲得同盟と改称）へと引き継がれる。

一方、花柳病男子結婚制限は、協会の中でも特に平塚が熱心だった。花柳病とは当時の言葉で性病の意味である。この頃、花柳病の蔓延は社会問題化し、政府でも内務省を中心に予防法制を検討していた。戦前では女性の不貞が刑事罰の対象だった一方、男性はそうではないというダブルスタンダードの状態にあり、不貞をする夫が家庭に持ち込んだ性病によって健康を害される女性は少なくなかった。母性を女性の本質と見る平塚にとって、男性の不貞を要因とする花柳病の蔓延は、母子の健康を脅かす重大な権利侵害だった。

†個人としての自由か、社会としての保護・規制か

ここで再び与謝野晶子が登場する。平塚らいてうの呼びかけによる新婦人協会結成を歓迎した与謝野だったが、花柳病男子結婚制限の請願には強い違和感を示した。協会が作成した条文案「現在花柳病に罹《かか》れる男子は結婚することを得ず」「結婚せんと欲する男子はまず相手たる女子に医師の健康診断書を提示し花柳病患者にあらざる旨を証明すべし」について、「法律が結婚の死命を制している」と批判したのである（「新婦人協会の請願運動」『太陽』一九二〇年二月）。

歌集『みだれ髪』（一九〇一）で知られる与謝野は、人間の真・美を詠んで一世を風靡した浪漫主義歌人である。恋愛や女性の身体を人間の美の象徴として詠んだ与謝野にとって、恋愛とその延長としての結婚――すなわち〝性〟は、人間という存在が真にして美であることを証明する自由で不可侵の聖域であるべきだった。そのため与謝野は、「恋愛は高く遥かに政治や、法律や、科学や、論理の彼方にあります。熱愛する一対の男女の中に健康診断書の有無が何で

あろうぞ」（同）と高調し、世俗のルールに過ぎない法律で〝性〟を規制することの愚を指摘したのである。

これに対して平塚は、いかに個人の自由だと言っても「他人を――子供を傷つけ、社会を、種族を害する権利はない」「恋愛または結婚の自由もしくは権利は、個人の幸福と種族（社会）の利益の一致の上に、個人の権利と種族（社会）に対する個人の義務との一致の上に認めらるべきものだ」として、国家・社会の利益のために〝性〟が法に規制されるのは当然だと反論した（「新婦人協会の請願運動に就いて与謝野晶子氏に御答へします」『中央公論』一九二〇年四月）。

議論の枠組みは母性保護論争と同様で、与謝野の主張は人間の精神的自由に対する一定の洞察を伴いつつも原理主義的であり、平塚の主張はそれなりに現実主義的であるものの、主張の正当性はいつも国家・社会の利益と結びつけて論じられた。今日の我々も社会の健全性維持のために〝性〟を様々な形で法的に規制していることを思えば、平塚の主張も特別に奇異なものではない。しかし、〝性〟のどこまでが個人の問題で、どこからが社会の問題なのか。〝性〟が人間の本質的問題であるだけに、その線引きには常に強い緊張感が伴うべきであり、平塚の主張は現実方向に針が振れすぎているのかもしれない。しかし、それにもそれなりの理由がある。

†資本主義社会と女性――時代は昭和へ

平塚は花柳病男子結婚制限問題について、実は自分は「理論上からは（もしくは理想の上からは）むしろ大なる反対論者」なのだと語っている（前掲「新婦人協会の請願運動……」）。それでも平塚が〝性〟を法によって保護・規制しようと躍起になったのは、当時の男性中心の資本主義社会が女性の母性を傷つけているという強い危機感があったためだ。そのことで平塚が例に挙げるのは女工の問題である。『女工哀史』（細井和喜蔵、一九二五）でも知られるように、労働者の権利がほとんど認められていないこの時代、貧困層の若い女性は低廉で都合のよい労働力だった。将来母となる若い女性が、教育の不足のために自分たちが搾取されているという自覚も持てず、劣悪な労働環境のために健康を害しているという現実に、平塚は女性知識人としてのみずからの責任を感じずにはいられなかった。「資本階級の男子社会の縮図」に過ぎないと見ていた当時の議会（当時の選挙権は一定の納税額がある男性に限られた）に請願運動を繰り返したのもそのためである（「波紋」『女性同盟』一九二一年二月）。

その平塚を酷評したのは、この頃新進気鋭の社会主義論客として名を馳せた山川菊栄《きくえ》（一八九〇～一九八〇）である。平塚が資本主義の害悪を知りながら資本主義に代わる社会構想を示さないのは思想的に不徹底であり、そのような平塚が率いる新婦人協会は所詮「ブルジョア一流のセンチメンタリズムをもって、ただ漫然漠然と「婦人と子供の権利」を主張している」に過ぎないとこき下ろしたのである。そして山川は、一九二一年に結成された女性による社会主義結社・赤瀾会《せきらんかい》を称賛した（「平塚明子氏へ」『婦人公論』一九二一年四月、「新婦人協会と赤瀾会」『太陽』同年七月）。赤瀾会には、かつて『青鞜』で平塚の同志であり、この頃は伴侶・大杉栄とともに無政府主義を奉じた伊藤野枝も加わっていた。ロシア革命によって社会主義政権が成立したことは、過激な階級闘争を肯定する急進的な社会主義思想を勢いづかせ、女性解放運動にも分断をもたらしていたのである。

この二年後、伊藤は関東大震災（一九二三）の混乱下に大杉とともに憲兵によって虐殺される。一方、参政権獲得運動に卓越した指導力を発揮した市川房枝は、議会に巧みに女性参政権支持者を扶植していった。それも五・一五事件、二・二六事件と相次ぐ政変で戦前においては可能性を絶たれるが、それはもう昭和の歴史である。（読みやすさのため、引用資料中の仮名遣いや明らかな誤植を一部改めた）

さらに詳しく知るための参考文献

荻野美穂『「家族計画」への道――近代日本の生殖をめぐる政治』（岩波書店、二〇〇八）……思想は歴史の中で常に変化するが、それは人間の自然的部分であると思われる〝性〟の認識の仕方においても例外ではない。では、近代日本は〝性〟をどのように扱ってきたのか。今日我々の認識にも反省を促す一冊。

鹿野政直『日本の近代思想』（岩波新書、二〇〇二）……日本思想史分野における女性解放思想研究の泰斗と言うべき著者による、日本近代思想史の道案内的な一冊。このうち第五章「女性の問い」では、ウーマン・リブや「女性学」の成立など戦後まで議論が及ぶ。新書版で読みやすくおすすめ。

堀場清子編『『青鞜』女性解放論集』（岩波文庫、一九九一）……『青鞜』に集った女性たちの議論に直接触れるには便利な一冊。『青鞜』に掲載された重要な論説を解説付きでたどることができる。

村井良太『市川房枝――後退を阻止して前進』（ミネルヴァ書房、ミネルヴァ日本評伝選、二〇二一）……女性参政権獲得運動の指導者・市川房枝の最新の評伝。大正篇のこの講義では主たるテーマにならなかったものの、参政権はやはり特別な重要さを持つものであり、市川の功績はどれほど強調してもし過ぎることはない。

脇田晴子編『母性を問う――歴史的変遷』上下巻（人文書院、一九八五）……母性の発見は近代女性解放思想の大きな分岐点である。さも自然で普遍的だと思われがちな母性という概念もまた、歴史の中で形成され、移り変わってきたものだ。本書は古代から現代までその歴史的変遷をたどる、古典とも言うべき研究。

コラム9　パンデミック精神史の断片

藤原辰史

一九一八年の春から夏にかけて、第一次世界大戦の最終年にアメリカで原因不明の肺炎が、とくに若い兵士たちや工場労働者や鉱山労働者を襲った。戦争中で情報は統制されていた。中立国のスペインで国王アルフォンソ一三世が感染し、報道が世界に先駆けて流れたため「スペイン風邪」と呼ばれるようになった。この災禍は、鳥インフルエンザ由来の人畜共通感染症だとは知られぬまま、一九二〇年まで、ほぼ世界全域で三回の感染の波をもたらした。世界の死者は少なくとも二五〇〇万人、四〇〇〇万人や一億人という数字を上げる研究者もいる。いずれにしても、第一次世界大戦で亡くなった兵士と文民を足し合わせた数よりも多い。

発生源から遠く離れた日本も、スペイン風邪の猛威から逃れることはできなかった。官庁統計によれば三八万五〇〇〇人の死者をもたらしたと言われているが、人口学者の速水融《はやみあきら》は『日本を襲ったスペイン・インフルエンザ』（藤原書店、二〇〇六）の中でこの統計に疑いを持ち、内地四五万三四五二人、朝鮮二三万四一六四人、台湾四万八八六六人という数字を弾き出している。

これだけの被害をもたらしたパンデミックであったが、日本の思想史にこのスペイン風邪が与えた影響はそれほど大きくないように思える。速水が述べているように、森鷗外も後藤新平もスペイン風邪に言及した形跡はあるが、それが彼らの精神や科学観を変えるほどの影響をもたらしたわけではない。劇作家の島村抱月がスペイン風邪と併発した肺炎で亡くなり、ともに劇団・文藝座を立ち上げた舞台俳優の松井須磨子があとを追った、という悲劇は有名だとはいえ、スペイン風邪が仮に結核やコレラだったとしても、この悲劇性はあまり変わらなかったと思われる。

つまり、災厄の大きさのわりにパンデミックの衝撃は、第一次世界大戦やシベリア出兵、それにともなう米騒動、そしてロシア革命などの政治的・思想的事件の中に埋没していった、と見るべきだろう。

ただ、「思想」をもっと著名な事件や思想家の流れから引き離したときはその限りではないかもしれない。一九二〇（大正九）年三月一六日付の『東京朝日新聞』朝刊に「思想ワクチン」と題された文章が掲載された。「鉄箒」という名の署名付きの投書欄だ。投稿者は浪野英岸という人物。ひととおり人名辞典にあたったがみつからない。文面から一定の教養を積んだ読者の投稿ではないかと推測される。

投稿の前半は、伝染病対策について書いてある。それに必要なのは「患者の離隔」と「対抗力の振作《しんさく》」であると浪野は整理し、「病の伝播」が速いときは後者を重視しなければならない、と言う。その上で後者をさらに二つに分類する。すなわち、体を強健に保つことと、ワクチンのように病毒を加工して体内に注射し、「一種の妥協の生活」に入ること、である。「今度のスペイン風邪の様に」ワクチンの効力が「お医者様の間にも半信半疑の宙ぶらりんなのもあるが、誰も死ぬのは厭だから、吾人《ごじん》は盗難のお守りを買ふ位の心がけで」、「肌に針を貫《さ》す苦痛を忍ぶ」と述べる。当時、病原体がウイルスと特定されないままワクチンが製造されたのだが、医者がその効果を信じ切れていないというのは、同時代の貴重な証言というべきだろう。だが、もっと時代の証言として貴重なのは、浪野の論がここから急展開を遂げることである。

所謂危険思想の取扱も、伝染病のそれに準《なら》ふより外に名案が無いのではあるまいか。黒表《ブラックリスト》に角袖《かくそで》の離隔処分で患者（?）を取締るのが流行の初期の処置、それと同時に国民道徳とか云ふ強健術も、或は有効かも知れぬ。しかし今日の伝播《でんぱ》の状勢では、要するに、理想のワクチンを、国民に広く注射して、各人に抗体《アンチキヨルベル》の養成を誘致するのが、国家存立上の一大急務かと考へられる。

では、「理想のワクチン」とは何か。彼はそれを明らかにしていない。最終段落で、すでに感染したものには効かない、むしろ有害だ、そしてワクチン製造者も感染しやすいから注意せよ、と呼びかけるにすぎない。とすると、この文章の論理にしたがえば、当時の危険思想であったマルクス主義やアナキズムを人為的に加工して体内に入れ、「一種の妥協の生活」を営むことが必要だ、ということになる。

世界的に「革命」が現実のものとして人びとの目に届き、「危険思想」の運動が活性化したこの時期に、それを排除するのではなく、「妥協」することで防御するとはどういうことか。彼の頭の中にはもしかすると社会政策学会的な、あるいは、民本主義のような思想に「危険思想」の棘を抜く、思想的包摂の効果を期待していたかもしれないが、それにしても警戒心が強い。ならば、教科書程度には思想史を学んでおけ、ということか。それとも逆に、感染を狙ったアナーキストの投稿なのか。想像が膨らむ文章である。

第11講　新教育

和崎光太郎

†新教育の誕生

一九〇〇年代半ばから一九二〇年代にかけて、西洋で一九世紀末から活発化していた「新教育」が教育学者に受容され、次第に学校現場で実践されるようになった。

そのおよそ二〇年前、一八八〇年代末から一八九〇年代に、日本の教育学はヘルバルト学派の教育学を受容して成立した。ヨハン・フリードリヒ・ヘルバルトは一九世紀前半にドイツで「教育学」を樹立した人物であり、教育学の目的を倫理学に、方法を心理学によって基礎づけた。その核となるのは「教育的教授」であり、それはすなわち、子どもに何かを真剣に取り組ませる条件を整えた上で（一般的に「管理」と訳される）、子どもを心情的に支え（一般的に「訓練」と訳される）、教授するということである。この教育の目的は、「品性の陶冶《とうや》」(Charakterbildung)、つまり道徳的な人格を完成させることであった。このヘルバルト教育学を元に教員の教育方法として五段階教授法にまとめたのがヴィルヘルム・ラインであり、五段階教授法は一九世紀後半からドイツ国内の学校で広く試みられた。

ヘルバルト学派の教育学を日本にもたらしたのは、一八八七年に帝国大学へ招聘されたエミール・ハウスクネヒトであり、その門下生の一人である谷本富《とめり》はドイツの師範学校（現在の教育大学）用教科書を日本の学校に適用させるための著作を一八九〇年代半ばに刊行した。さらに一九〇〇年頃からは東京高等師範学校の教員・卒業生がヘルバルト主義教授法（特にラインの教授法）を普及させた。

ただし、日本で普及した「ヘルバルト主義」は、ヘルバルトの個人主義的な要素を多分に含む教育学ではなく、あくまでヘルバルト教育学から派生した教授法であり、教育目的は当時の明治政府の意に沿った国家主義的な国民（臣民）形成そのものであった。しかも、地方まで「ヘルバルト主義」が普及する過程で、その教授法は学級制での一斉教授に便利な「予備」、「教授」、「応用」という三段階に簡略化されていった。日清日露戦間期は小学校の就学率（特に女子就学率）が飛躍的に伸びていた時期であり、同時に「帝国」日本形成期でもあったことが、この「ヘルバルト主義」の普及を後押ししたのである。このような教授法を批判する思想運動として登場したのが新教育運動であり、この新教育運動は自由教育運動ともいわれる。

日露戦争後に広がりはじめた新教育運動は、教育の目標・目的は国家が要請する国民（臣民）

教育のままで、方法論・カリキュラム論において当時批判の的になっていた「画一的」「注入的」な教授法を改めるものであった。

その嚆矢《こうし》となったのは、一九〇〇年代の樋口勘次郎《かんじろう》と谷本富であり、彼らは「画一的」「注入的」教授法に陥りつつあった「ヘルバルト主義」を批判して、近代国民国家の担い手としてふさわしい国民を育成するための「自学」論を展開した。ここに言う「自学」とは単なる自習ではなく、教員が児童の意欲を引き出し児童の学習を輔導《ほどう》（助け導く）することを意味する。旧教育に対する「新教育」という言葉を広めたのは、谷本が一九〇六年に著した『新教育講義』であり、谷本は同年から一九一〇年まで毎年「新教育」と名のつく著書を出している。つまり、新教育が標的とした「旧教育」は、一八七二年に出された学制からとすると三〇年ほど、ヘルバルト主義の受容からとするとわずか十数年ほどの歴史しか有していなかった。谷本の影響もあってこの頃から各地で「自学」という言葉が使われるようになり、一九〇〇年代後半から全国的に新教育が広まった。

†新教育の展開

一九一〇年頃になると、西洋の新教育思想の受容が進んだ。一例を挙げれば、後に新教育論の旗手となる及川平治《おいかわへいじ》（兵庫県明石女子師範学校附属小学校主事、「主事」とは当時の校長にあたる）が主著『分団式動的教育法』を刊行したのは一九一二年であり、教育書としては異例のベストセラーとなった。このような新教育論台頭の背景にあったのは、新中間層（都市中産階級）の台頭に後押しされるように拡がったいわゆる「大正デモクラシー」であり、新教育論は西洋の教育論を受容しつつ教育（学）者それぞれ独自の教育論・教育実践として形成・展開されていった。

新教育の主な担い手は、師範学校の教員と、「新学校」を創設した教育者たちであった。

師範学校の教員としては、教室と時間割を撤廃した「生活即学習」の考えを徹底して合科学習運動を牽引した木下竹次《たけじ》（奈良女子高等師範学校附属小学校主事）、児童の「自学」・「自治」を重んじ協同的な活動による学びを実現した手塚岸衛《きしえ》（千葉県師範学校附属小学校主事）、問題解決学習を中心とした授業構成（プロジェクト・メソッド）を基にした幼小接続カリキュラムの研究開発を率いた及川平治（前述）、書物を通した教育ではなく労作による教育を重んじた「作業教育」を実践・提唱した北澤種一《きたざわたねいち》（東京女子高等師範学校附属小学校主事）などがいた。

新教育実践の場として「新学校」を開いた沢柳政太郎《まさたろう》（成城小学校、一九一七年開校）、羽仁《はに》もと子（自由学園、一九二一年開校）、野口援太郎《えんたろう》（池袋児童の村小学校、一九二四年開校）、赤井米吉《よねきち》（明星学園、一九二四年開校）、小原國芳《おばらくによし》（玉川学園、一九二九年開校）らは、独自の教育論を持っており、新教育論は多様な展開を見せた。新教育の実践はあくまで教員の自主的な取り組みによるものではあったが、各地の公立小学校または郡・市を単位とした新教育の実践も確認されており、公立校ならではの強い制約を受けながらも教育方法・内容に留まらず学校・学級経営の多様化も進展した。

新教育を受け入れ、支えた親は、主に一九二〇年頃に全人口の七~八%にあたる新中間層であった。自らの学歴、知識、技能を資本として給与を得る新中間層は、一九二〇年代に「サラリーマン」という言葉が誕生したことに象徴されるように、一九六〇年代から家族モデルとして定着する中間層の生き方を先駆的に取り入れた層であった。時はまさに、教育の場として「家庭」が生成し、良妻賢母をスローガンとした女性の「国民」化が進展していた時代であった(小山静子『家庭の生成と女性の国民化』)。新中間層の親たちは、わが子に大衆平等主義的な一八九〇年代以降の小学校教育を受けさせるのではなく、個性を尊重し自由に才能を発揮できる新教育を選んだのである。すべての子ではなく我が子(または我が子のうちの誰か)の個性の尊重を願うことは、当時社会的に拡がりを見せていた教育的マルサス主義や優生思想と親和的であり、かつ近世以来の子どもの選別、子育て、「マビキ」の慣習とも親和的であった。その教育の場が、国家の教育制度内における学校に用意されたのである。

†八大教育主張講演会

新教育論の拡がりを最も象徴するのが、一九二一年に開かれた「教育学術研究大会」であり、多くの聴衆を集め成功裏に終わったこの研究大会は、後に「八大教育主張講演会」と呼ばれるようになった。同年八月一日から八日まで、東京高等師範学校講堂などで毎日一名ずつ計八名の論者が講演し、聴衆は二〇〇〇名以上にのぼったといわれる。開催のわずか数カ月前から準備が進められたこともあり、八名の論者の中には当然入るべき人物がすべて揃っているわけではない。論者とその題目は登壇順に、及川平治「動的教育論」、稲毛《いなげ》金七《きんしち》（詛風《そふう》）「創造教育論」、樋口長市《ひぐちちょういち》「自学教育論」、手塚岸衛「自由教育論」、片上伸《かたがみのぶる》「文芸教育論」、千葉命吉《めいきち》「一切衝動皆満足論」、河野清丸「自動教育論」、小原（鰺坂《あじさか》）國芳「全人教育論」である。

この研究大会が成功した背景には、各地での新教育への関心の高まりに加えて、大正期の教育雑誌ブームがあった。大会の主催は雑誌『教育学術界』の発刊元である大日本学術協会であり、同誌主幹の尼子止《あまことどむ》が開催を主導した。尼子は当時の教育ジャーナリズムを牽引する人物であり、公告・準備は周到に進められた。特筆すべきは、『教育学術界』以外の教育雑誌にも広告が掲載されたこと、午前中に大会参加者で東京見学のツアーが組まれたこと、八人の講演者に加えて耳目を集める著名人を司会者として登壇させ、聴衆が彼らに直接会える場所を提供したこと、講演後に会場からの質問に応じる討論の時間が一時間ほど確保されたことであり、すべてが斬新であった。この斬新な大会を成功に導いた要因には、他にも、国鉄路線が全国的な鉄道網を完成させツーリズムが大衆化していたことや、既往の夏期講習会が文部省主催や県・

絵葉書「大日本学術協会　教育学研究大会（記念）」（円内は尼子主幹の開会の辞、玉川大学教育博物館蔵）

郡単位の自治体や教育会主催で、教員を半強制的に参加させる上意下達の「講習会」であったことへ教員の不満もあったであろう。

大会翌年には速記録を元にした『八大教育主張』が刊行され、様々な教育雑誌で八人の論者に対する批判が噴出したが、その筆者に著名な教育学者から無名の教員までの幅があったことは注目すべきである。確かに批判の内容は講演内容への無理解を露呈するものも多々あるが、これまでの「旧教育に対する新教育」という枠組みではなく、「新教育」における教育の内実についての議論を戦わせる言説空間が出現したことの歴史的意義は大きい。

続いて、「八大教育主張講演会」の講演者における教育思想を概観しよう。

八名のうち小原國芳以外の七名に共通するのは、

知識により情・意を形成する主知説を否定し、子どもの意欲を源泉とするプラグマティックな学習を提示していることである。その根底には、手塚岸衛以外の六名にはプラグマティズム以前のアンリ・ベルクソンやニーチェなどのいわゆる「生の哲学」があり、「生命」が鍵概念の一つとなっている。これは特に、及川平治の「動的教育論」、樋口長市の「自学主義の教育」、千葉命吉の「一切衝動皆満足論」において顕著である。

ただし八人の論者は、少なくともこの時点では自分たちが「新教育論者」として思想的・実践的に何か共通しているという認識をもってはおらず、自分たちが反体制であるという認識や、国家の定めた「教育」に反対しているという認識もない。各々が、自らの教育思想・実践を鍛えている途上での講演であり、たとえば、同じ「自由」を語っていても、論者によって微妙に、または大きくその有する思想が異なる。手塚岸衛は理性の現れとしての真・善・美という規範の体現に向かう活動こそが「自由」であり、この「自由」によって新カント派流の「自然の理性化」が促されるとする。対して、千葉命吉はこのような「自由」を価値規範を掲げた教員の作為にすぎないと切り捨てており、稲毛金七における「自由」は生命の躍動から生じる創造が自己超越的であるという意味での「自由」であった。つまり、少なくとも講演者八名を「自由教育思想家」と括ることはできない。当時の新教育論は「自由教育論」とまとめられることが多いが、当時の新教育に共通の「自由」という思想が通底していたわけではない。なお、新教育論者・実践者のうち「自由」を鍵概念としていたのは、主に手塚とその影響を受けた教員、および長野県の文芸家・教員であった。

†川井訓導事件

新教育史を語る上で看過できないのが、一九二四年九月、長野県の松本女子師範学校附属小学校で惹き起こされた川井訓導事件である。この事件も八大教育主張講演会と同じく、事後に雑誌等で大きくかつセンセーショナルに扱われたことで、歴史に名が残ることになった。

事件の概要は以下の通りである。八大教育主張講演者の一人である樋口長市が、郷里である長野県の臨時視学委員（学校を視察して回る委員）として県学務課長らとともに同校の教育視察に来校、一行は四時限目に川井清一郎《せいいちろう》訓導（正教員）の尋常四年（現在の小学四年）の授業を視察した。川井は修身の国定教科書を使用せず、副教材として森鷗外の「護持院原《ごじいんがはら》の敵討《あだうち》」を使用していた。授業が終わろうとしたまさにその時、学務課長が児童の面前に踊り出て川井に国定教科書不使用の理由を問責、授業後の批評会でも樋口が川井の意図や授業方法について質問、叱責した。結局、川井は松本女子師範学校長の命令で国定教科書不使用を理由に始末書を書かされ、休職命令が下り、事実上の懲戒処分となった。

重要なのは、樋口は新教育を弾圧したわけではなく、自らの教育学説と教育実践に基づいて川井の授業準備・教材研究不足と授業方法を批判した、ということである。つまり、この一件を「樋口が新教育を弾圧した事件」として認識するのは誤りである。では、なぜこの一件が「事件」となり、この「事件」はどのような結末を迎えたのだろうか。

長野県下では、一九一〇年代半ばから信州白樺派教員（一九一〇年創刊の雑誌『白樺』同人の教員）を中心とする文芸教育の実践が広まりつつあった。信州白樺派教員は戸倉《とぐら》事件（一九一九年）と倭《やまと》事件（一九二〇年）をきっかけに急速に勢力が衰えるが、文芸教育を良く思わない県当局者は、様々な「会」に分かれる県下文芸教育を「気分教育」と一括りに呼び、非難していた。一九二二年のラパッロ条約でドイツがソヴィエト＝ロシアを承認するなどソヴィエト政権の国際的立場が確立されるにつれて県南部で社会主義思想が広がり、県当局の「赤化《せっか》思想」・「赤化青年」への警戒が強まると、県当局者は「気分教育」に「赤化青年」勢力拡大の原因を見出した。

一九二四年になると、事態が大きく動き出す。川井訓導事件の半年前に下伊那郡上飯田小学校で惹起された小松訓導冤罪事件では、校舎消失の犯人として白樺派教員とされる小松宇太郎訓導が逮捕され、県当局は新聞を利用して〈小松＝「アカ」〉、〈「気分教育」＝「赤化思想」の温床〉という構図を巧みに作り上げた（後に新犯人が逮捕され小松は釈放）。市井に「アカの恐怖」を植え付けていったのである。この冤罪事件の渦中においては、後に治安維持法制定の根拠とされ、かつ長野県に特高警察が設置される直接的要因となった「赤化青年」検挙事件である」

ＹＬ事件（社会主義を宣伝し普選運動を展開していた下伊那自由青年連盟〔Liberal Young League〕の一斉検挙事件）が惹き起こされた。加えて同時期に、下伊那郡視学が更迭され、後に日本で最初の草の根ファッショ運動団体である下伊那郡国民精神作興会の設立準備に加わる人物が視学に任命されている。このような状況下で、川井訓導事件の二日前、下伊那郡の飯田小学校で樋口を臨時視学委員とした視察が行われ、樋口は飯田小学校の教育内容・教授方法を痛烈に批判した。加えてその前後には、同校の校長更迭と主席訓導の更迭があり、これら一連の出来事は県当局による露骨な「気分教育」弾圧であった（飯田小学校事件）。

その延長線上に、川井訓導事件が起きた。つまり、樋口は自身の教育学説に基づいて川井を問い詰め、県当局は「気分教育」弾圧を徹底するために川井をスケープゴートとして退職に追い込んだのである。樋口は県当局の思惑通りに動いたつもりは毛頭なく、県当局は新教育論の内容にはまったく興味はなかった。結果として、現場の教員を退職に追い込む立場として同じ土俵に立つことになったのである。

飯田小学校事件と川井訓導事件は地元の有力紙である『信濃毎日新聞』で報道、議論され、現場の教員と県当局との対立という構図が出来上がっていった。たとえば、川井訓導事件の四日後に実施された島内《しまうち》小学校（松本市）での視察は、前もってこの対立の場として報道されている。その後、現場の教員団体である信濃教育会が臨時大会を開催するなど県当局への反発勢力が拡大し、県当局は懐柔策へと舵を切った。川井訓導事件を全国区に広めたのは信濃教育会であり、事件直後は教権への介入として県当局を強く批判していたが、アララギ派を主流とする信濃教育会は一向に勢力が衰えない「赤化青年」への危機感を強め、結局、県当局と妥結し教育界における人事権を保持し続けた。

川井訓導事件は、国が決めたことに反対する者に無差別に「アカ」のレッテルを貼るという運動が日本史上初めて惹き起こした事件であり、その現場となったのが学校であることも象徴的である。というのも、草の根的な「アカ」のレッテル貼りや、「思想善導」のためにはまず学校教育を変えるという発想は今日まで続いており(愛国心教育など)、川井訓導事件の歴史的意義は大きい。加えてこの事件は、「体制VS反体制」・「旧教育VS新教育」・「右派VS左派」という二項対立図式で歴史を解釈すると史実の認識を誤る、ということも我々に教えてくれるのである。

†新教育の「終焉」

一九二〇年代初頭には茨城県で新教育の抑圧ととれる事件がおき、同年代半ばには川井訓導事件が起こるなど、一九二〇年代は新教育への逆風が吹き始めた時期であった。一方で同時期に様々な新教育が各地に広がっており、「新学校」という名称が人口に膾炙《かいしゃ》するようになるのは一九二〇年代後半である。つまり、一九二〇年代は新教育実践のピークであると同時に、それを抑える動きもまた見られた時代であった。新教育の実践が明確に衰退に向かうのは、一九三〇年代初頭の昭和恐慌以降である。

確かに、同時期に野村芳兵衛《よしべえ》の「池袋児童の村小学校」や、倉橋惣三《そうぞう》の誘導保育論、樋口長市の生活教育論の成立など、日常生活の中に教育を取り込む教育実践・思想が結実を見せる。しかし日本の教育界全体を見渡せば、昭和恐慌の影響で、新学校に限らず元々経営的に苦しかった私学は窮地に追い込まれていった。加えて、一九二〇年代後半には尋常小学校を卒業することが「あたりまえ」になり、半数以上の子どもが高等小学校（実業的内容を中心とした大衆的中等教育機関）へ入学するようになったことで、地域産業と学校との結びつきが強まり、保護者からの学校への実用的教育の期待は増大していた。当時の新教育論における主な思潮は、一九二〇年代前半に主に見られたエリート選別的な教育ではなく、「無産大衆」にまで新教育を施し内面的な中間層化を図ることであったが、時代はそれを必要としなかったのである。結局、昭和恐慌への対応は、地域の実情に応じた経済厚生を展望する「学校改革」として現出し、報徳思想が全国的な拡がりを見せ、新教育の思潮は消えていった。

さらに追い打ちをかけるように一九三三年二月～九月に起きた二・四《し》事件（長野県下の「赤化」教職員二三〇名の一斉検挙）、京大滝川《たきかわ》事件、成城学園事件（成城学園の内部分裂騒動）という、それぞれ性格は異なるがその根底に教育自治への権力の介入という大きな問題があった事件が、新教育の思潮を「終焉」に向かわせる決定的な打撃となった。

ただしこの「終焉」は、新教育運動・思想の「終焉」であり、新教育は国が定める「教育」に部分的に吸収されていった。一九三三年から改訂が始まった国定教科書に新教育の成果が多分に盛り込まれているのは、新教育のうち国が定める「教育」に有用とみなされる部分が積極的に国策としての「教育」に取り込まれていったことを象徴する。一九三八年の教育審議会において国民学校構想の中に合科《ごうか》教育（総合教育）を取り入れるにあたり、「長所だけをとって自由主義の個人主義思想は取入れぬようにするという警戒が非常に必要であろうと思います」、「純教育的の自由主義は行われるけれども、国民教育以外の自由主義は行わせないようにしないといけないと思います」といった発言がみられることも（中野光《あきら》『大正デモクラシーと教育』）、新教育の思想が部分的に排除され方法が部分的に取り入れられていったことを如実に表している。すなわち、「皇国臣民」の錬成を主軸とした戦時下の教育は、新教育の成果を部分的に踏まえて成立したのである。

さらに詳しく知るための参考文献

中野光『大正デモクラシーと教育』（新評論、一九七七）……大正新教育（自由教育）研究の先駆者であり、かつ積極的に「自由教育」の意義を見出そうと試みた著者の、代表的著作の一つ。他に『大正自由教育の研究』（黎明書房、一九六八）、『学校改革の史的原像』（黎明書房、二〇〇八）等がある。

森川輝紀『大正自由教育と経済恐慌』（三元社、一九九七）……一九二〇年代から一九三〇年代にかけての埼玉県の農村における、社会の変容の中に生きる人々と学校をとりまく地域社会との関係を、ファッショ化を念頭に置きつつ論じている。

中内敏夫「新学校史の社会過程」『中内敏夫著作集Ⅱ　匿名の社会史』（藤原書店、一九九八）……社会史（心性史）の立場から新学校の歴史的性格を論じ、同時代の「匿名者」から見た新教育、及び制度・思想・社会集団の歴史の「本音」を炙り出している。初出は一九八五年。

和崎光太郎「大正自由教育と「赤化思想」――川井訓導事件とその周辺」（『信濃』第五九巻第一〇号、二〇〇七）……従来は「新教育vs体制側」といった構図で解釈されてきた川井訓導事件を、当時の思潮や輿論（の形成）を射程に収めて再検討している。

橋本美保・田中智志編著『大正新教育の思想――生命の躍動』（東信堂、二〇一五）……大正新教育の思想内容を、海外の新教育思想および当時の日本の思想圏を含めて検討し、新教育思想に「脱構築不可能な思考」を見出すことを試みている。

コラム10　能率増進論と科学的管理法

新倉貴仁

しばしば大正教養主義の代表的な人物とみなされる阿部次郎は、一九二一年に『人格主義の思潮』を出版している。この著作は、一九二〇年に阿部が南満洲鉄道株式会社に招かれて行った講演をまとめたものであった。その序文のなかで、阿部は、「大連の大塚素氏」について追憶している。

大塚素《しろし》は、南満洲鉄道人事課に務め、吉野作造を介して阿部に講演を依頼した人物であった。大塚は、阿部の講演後、一九二〇年八月に大連で亡くなる。病床にあって、大塚は家訓を遺す。「個人にしても団体にしても、その能率の増減はただちにその個人団体の生存の価値に関す」。それゆえに、「社会進展のため充分なる能率」を発揮させなくてはならない。大塚は、個人と社会の存続、発展のために「能率」を問題にすることを呼びかける（新倉貴仁『「能率」の共同体』岩波書店、二〇一七）。

ここで登場する「能率」という語は、efficiency の訳語である。「能率」の語は、大正期に頻繁に用いられ、「文化」と同じく大正期を象徴する言葉であったといえる。この語の由来は、フレデリック・テイラーの名前に代表される科学的管理法

Scientific Management と呼ばれる思考と実践にあった。それは、工作機械の最も効率的な利用法の探求を通じて、工場内での労働作業の標準を設定し、経営管理の変革をめざす方法である。アメリカで生まれ、爆発的に普及していたこの考えは、一九一一年に、安成貞雄《やすなりさだお》、横河民輔《よこかわたみすけ》といった人びとの研究によって、日本に紹介される。大正期、『能率増進』（エフィシェンシー社、一九一七）、『能率増進研究』（能率増進研究会、一九二三）、『能率研究』（日本能率研究会、一九二三）、『マネジメント』（マネジメント社、一九二四）などの雑誌が創刊し、能率増進論と科学的管理法は、産業界を中心に社会へと普及していく（佐々木聡『科学的管理法の日本的展開』有斐閣、一九九八）。

このような能率増進論と科学的管理法の広がりの背景には、第一次世界大戦がまさにその条件としていた産業の高度化と大量生産がある。先述の大塚素は、一九一七年にアメリカに出張し、フォード社を視察している。その報告書である「「フォード」自働車会社（デツロイト市）職工待遇梗概」で、大塚はフォード社の大量生産に注目し、またその生産力が戦時の軍需品の製造に転用可能なことも述べている。だが、大塚はこのような総力戦の条件だけでなく、フォード社が労働者の「健康」や「住宅」といった生活の領域に多大な配慮をしていることに注目する。工場の能率を減少させないためには、材料や機械だけでなく、労働者の人格や心理が配慮されなければならない。それが個々の労働者の生産の能率を向上させ、ひいては工場全体の生産の能率を向上させる。大塚は帰国後、鉄道院からその職員のおかれている状況を視察することを依頼され、報告にあたって、「能率増進」の点から、フォードのように職員の生活に配慮した施策を求めている。

大塚の報告が示唆するように、能率増進論と科学的管理法は、産業化だけでなく、労資協調が大きな課題となっていたことを背景として拡大していった。一九一二年に労働者の教育と親睦団体としての友愛会を結成した鈴木文治《ぶんじ》は、その機関誌である『社会改良』のなかで、くりかえし「人格」と「能率」を充実させることを呼びかけている。

第一次世界大戦後、あらたな国際的な競争の時代と来るべき総力戦が予期される。他方で、隣国で起きた革命によって、階級対立の融和がさし迫った課題となる。能率増進論と科学的管理法は、これらの文脈の中で広がっていったと考えることができる。すなわち、総力戦を遂行するためには、工場だけではなく、「国民」の「最高能率」を達成しなければならない。そして、そのためには、工場という場にとどまらず、会社、商店、銀行、学校、そして個人にまで応用される必要がある。ここで注目すべきは、能率増進論と科学的管理法が、工場や企業の現場でのさまざまな知や技法を、生活という領域にも及ぼすものであったことである。戦争の遂行が、工場の生産に重ねられ、大量生産の原理が探求されたのである。それは人びとの生活や身体を捉え、変容させる概念となっていく。

科学的管理法と「能率」の概念は、それが産業化のための手段とみなされるため、大正期を超えて、その後の時代でも持続するものであった。昭和恐慌のさなか産業合理化が推進され、第二次大戦期には高度国防国家の建設が目指されるが、この二つの運動のなかで、科学的管理法はその中心的な方法となり、「能率」が共通して探究された。さらに、科学的管理法と「能率」の概念は、それがマネジメント・経営に関するゆえに、戦争を超え、戦後の経済成長のなかで、企業活動のパフォーマンスとして、また、サラリーマンらミドルクラスの生活の目標として探究されつづける。そこには戦前と戦後の連続を考えるための、また私たちが生きる現代社会を考えるための手がかりがあると思われる（新倉貴仁『「能率」の共同体』岩波書店、二〇一七）。

第12講

皇道大本と「大正維新」

永岡 崇

†異形の変革思想

「維新」といえば、やはりまずは明治維新を思い浮かべるが（近ごろではべつの「維新」もなにかと話題だが）、本講でとりあげるのは大正維新である。これを唱えたのは大本《おおもと》、出《で》口《ぐち》王《お》仁《に》三郎《さぶろう》（一八七一～一九四八）を指導者とする新興の宗教教団だった。明治維新から約半世紀が経ち、近代化のひずみが誰の目にも明らかになりつつあったとき、彼らは社会の根本的な変革を熱烈に語り出した。だがそれはデモクラシーでもなければ武力革命でもない。では現実とはかかわりのない空想にすぎなかったのかといえば、それも違っている。この異形《いぎょう》の変革思想の構造とその歴史的位置を考えることは、日本の近代がもつ複雑さを深部から理解するための重要な手がかりとなるはずだ。

大本の大正維新論は、天皇を中心とする祭政一致主義（「皇道」）を標榜しながらも、そこに独自の歴史観や政治観・宗教観を盛り込み、現存の社会秩序を否定しようとする異端の思想だったとされる。それが皇道主義という形態をとったのは、国家による弾圧を避けるための方便だったのか（栗原一九八二）、あるいは日本型の変革思想が抱える限界を示すものなのか（鹿野一九七三）は意見が分かれるところである。いずれにしても、近代天皇制との対決／同調のありようが、大正維新論をめぐる評価の焦点となってきた。

しかし、近代天皇制国家と大本の二者関係だけでは、大正維新論の意味は十分に明らかにならない。大本は思想団体である以前に宗教的な運動体だったのであり、王仁三郎は信仰実践を通じて信者・支持者の改心を迫ることで、維新のときに備えようとした。だが彼のメッセージはかならずしも信者たちに正確に伝わらず、運動の過程でその意図が裏切られることにもなる。見方によっては、こうしたズレのなかにこそ、当時の大衆的な欲望のありかが示されているのだともいえるのだ。そこで本講では、近代天皇制国家／王仁三郎／信者層の三者関係を軸に、大正期の大本をとらえてみたい。

†出口王仁三郎とその思想的ルーツ

まずは、出口王仁三郎を中心に、大正期前半までの大本の歩みを簡単に紹介しておこう。

王仁三郎は、元の名を上田喜《き》三郎《さぶろう》といい、京都府南桑田《みなみくわだ》郡曽我部《そがべ》村穴太《あなお》の貧しい小作農の子として生まれた。尋常小学校を中退後、小学校の代用助教員、マンガン鉱採掘、ラムネ製造、精乳業などといった職を経て、二八歳で宗教家への転身をはかる。地元の霊山・高熊山《たかくまやま》で籠り修行をした後、静岡の稲荷講社《いなりこうしや》を訪問して長澤雄楯《かつたて》から本田親徳《ちかあつ》系の霊学を学んでいる。地元に戻って宗教活動の拠点を求めていた喜三郎は、出口なお（一八三七〜一九一八）の小教団に参加、たちまち頭角を現した。一八九九（明治三二）年のことである。

京都府何鹿《いかるが》郡綾部《あやべ》町の貧民であったなおは、一八九二（明治二五）年、五七歳のとき神がかりとなり、艮《うしとら》の金神《こんじん》の言葉を記した「筆先」を書きながら宗教活動を開始した。もともと文字が書けなかったとされるなおが平仮名で記した膨大な筆先には、後述するように近代社会への激烈な批判が書きつけられている。なおは少数の熱心な信者を獲得して教団を形成し、公認教である金《こん》光《こう》教の傘下に入ったが、筆先を尊重しない金光教側の態度に不満を抱いていた。新たに参加した喜三郎になおが期待したのは、彼女の筆先を読み解き、それを世に出す役割だった。

出口王仁三郎

喜三郎はなおの娘婿として出口王仁三郎と名乗

ったものの、活動の方向性をめぐってなおや古参の信者たちと激しく対立し、一時は教団を離れている。京都の皇典講究分所で国学的な神道、つまり天皇を中心として整序された神道の体系を学び、神職として建勲《けんくん》神社に奉仕したあと、教派神道である御嶽《おんたけ》教・大成《たいせい》教との接触を経てなおの教団に戻った。またこれより前、言霊《げんれい》学の大家・大石凝真素美《おおいしごりますみ》とも交流してその知識を吸収している。

王仁三郎は、霊学や神道・国学の知識を駆使して教義や組織の整備を進め、大正期にかけて教団は大きく発展していく。その推進力となったのは、機関誌に連載された「神諭《しんゆ》」（なおの筆先を編集したもの）と鎮魂帰神《きしん》法と呼ばれる神がかり行法だった。英文学者の浅野和三郎や、日露戦争で海軍作戦参謀を務めたことで知られる秋山真之など、知識人・軍人も多く綾部に集まり、人々の耳目を集めた。一九一六（大正五）年には教団名を「皇道大本《こうどうおおもと》」とし、大正維新の旗幟《きし》を鮮明にしていく。だがその言論活動が最高潮に達しつつあった一九二一（大正一〇）年、王仁三郎らは不敬罪などの容疑で検挙され（第一次大本事件）、彼らの快進撃はその第一幕を閉じることになる。

ここまでの経歴から推測されるように、当時の王仁三郎の思想はいくつかの流れが合流するところに形成されていた。出口なおの筆先、古典の知識にもとづく国学的神道説、そして霊学・言霊《げんれい》学である。これら互いに異質な要素をときに巧妙に、ときに無造作に接合する手腕に思想家・王仁三郎の本領があり、そこに生じる不協和音が、彼の思想のダイナミズムを生み、同時に読む者を困惑させるのだ。

†大正維新とはなにか

大本が提唱した大正維新とは何だったのか。「維新」とはすべてが改まり、新しくなることを意味するから、彼らが日本・世界の現状をどうとらえるのか、維新によってどのような社会を実現しようとするのか、そのための具体的な方策はどのようなものなのか、といった点が問題になる。これらを意識しつつ、王仁三郎の論文「大正維新に就て」(『神霊界』一九一七年三月号)を中心にみてみよう。

王仁三郎によると、現代社会が抱える病弊の根本原因は、金銀を根幹とする財政・経済のしくみ(「金銀為本《いほん》の財政経済」)である。それが利己主義を生み、財産の多寡による差別や生活難、国家間の生存競争、人生の不安・不平をもたらしている。進行中の第一次世界大戦は、その明白な表れにほかならない。この金銀為本の起源は二〇〇〇年以上前にまでさかのぼるというが、日本が「西洋野蛮人種の真似」をしはじめてからそれが顕著になったとみているようだ。いまや衣食住の各方面に西洋の影響が浸透し、富貴や虚栄の追求が弱肉強食の惨状をもたらしているという。

金銀為本に対置されるのが、天産物自給の経済制度である。王仁三郎によれば、神国たる日本には天賦の産物が無尽蔵に眠っている。日本人はそれを開拓して自給すればよく、利己主義や弱肉強食的蛮習のもととなる貨幣や私有財産をもつ必要もない。一切の私有財産は天皇に「奉還」され、租税制度も廃止される。産業は国家方針にのっとって国民共同的に行われ、貿易も国家事業となる。物資や住宅は国民の必要に応じて供給され、交通機関も無料で利用できるようになるのだという。こうしたしくみを王仁三郎は「国家家族制度」と呼び、まず日本で実施したあと、さらにこれを世界中に適用して「世界大家族制度」を実現させるのが、大正維新の眼目だとしている。

王仁三郎は、自分の主張を社会主義や共産主義と混同する者がいてもおかしくないとしつつ、これはあくまでも出口なおの神諭（筆先）と古事記の精神にもとづくものであることを力説する。

実際、衣食住といった日常の生活世界に着目しながら、近代文明に対する仮借ない批判を行う姿勢は、神諭から引き継がれたものだ（川村二〇一七）。神諭では、この世界が「我よしの世」「つよいものがちの世」などとして激烈に批判される。そのような世の中になったのは、正義の神である艮《うしとら》の金神《こんじん》が長らく丑寅の方角に封じ込められていたからなのだが、この神がなおを通じて表にあらわれ、この世の「立替え立直し」を行うのだとされる（安丸一九七七）。大正維新は、この立替え立直しを王仁三郎なりに具体化させたものだといっていい。

他方、来るべき国家家族制度、そして世界大家族制度が「皇祖皇宗の御遺訓」に沿うものだとされ、その頂点に天皇が据えられるのは、国学的神道説の影響である。大正維新の大変革は天皇の威光によって可能になるというのだが、それだけではない。天皇は「先天的に世界の大元首」であり、「世界の国土及び財産の所有権」を有し、「人類の統治権」をもっているのだとされる。誇大妄想的で夜郎自大な世界統一思想にみえるが、ここではさしあたり、天皇の権威が最大限に強調されていることを確認しておきたい。

この議論は尊皇思想なのか、それとも不敬思想なのだろうか。すべてが天皇の権威のもとに帰一するという意味では尊皇だが、天皇が治めてきたはずの日本の現状を根底的に批判しているという点では不敬であるという解釈もできる。両方の意味が入り混じっているとしか言いようがないが、弾圧を実行した政府・警察当局は後者の解釈を選ぶことになる。

†終末論と身魂の洗濯

それにしても、私有財産の「奉還」にせよ、租税制度の廃止にせよ、簡単に実現するとは思えない巨大な変革である。だが王仁三郎は、それを「易々たる業」と言ってのける。明治維新をへて「皇道発展の時代」になるとともに、艮の金神が顕現して立替え立直しに向けた神業を開始したからだ。立替え立直しの時期が迫っているとする神話的歴史観は、第一次世界大戦やロシア革命、シベリア出兵、米騒動といった国内外の大事件にみられる変革の兆しによってリアリティを与えられていた。

とくに、神諭に心酔して教団に加入した浅野和三郎や友清歓真《ともきよよしさね》のような知識人幹部は、立替えの時期を特定して終末論的な信仰のムードを高めていく。アメリカとの最終戦争、立替えのときに訪れる破壊の惨状、東京の壊滅と綾部への遷都など、センセーショナルな内容が神諭から読み出され、皇道大本は予言の宗教として大きな注目を集めていたのである。

王仁三郎らは根本的な社会変革の衝迫を叫ぶ一方で、デモクラシーの思想潮流、あるいは社会運動や階級闘争のような、同時代の社会改良・革命運動に対しては敵対的な立場をとった。それらは「外国伝来の悪平等思想」(『神霊界』一九二〇年二月一日号)であり、利己主義の表れにすぎないということになる。安丸良夫《やすまるよしお》は、皇道大本を支持したのは当時の社会状況に不満を抱きながら、しかし同時に階級対立や階級闘争の激化による秩序の解体をひそかに恐れる人々だったと指摘している。彼らにとって大正維新=立替え立直しとは、社会運動や革命運動への恐怖を飛び越えて、一挙に新たな世界に到達できる道筋だったというわけである(安丸一九七七)。

では、人間は大正維新が実現するときを座して待っているべきなのだろうか。もちろんそうではない。人々に求められるのは、一言でいえば改心である。「世の立直しは人民の肉体を使ふて致さねば成らぬ事であるから、人民の改心次第で速くも成り、亦遅れも致す」のだ（『神霊界』一九一八年一二月二二日号）。大正期の大本が激しい現状批判を展開しながらも、現実の社会変革運動には背を向け、観念的な世界に閉じこもっていたとする評価もあるが、王仁三郎には彼なりの実践的課題があった。

本来、日本人は「神国の神民」として世界の人々を救うという尊い天職をもつ存在なのだが、現状では外国の教えに心身を汚染されて、外国人にも劣る「体主霊従《あくひのもと》」の生き方になっている。「利己主義《われよし》」のやり方を改め、身魂《みたま》――身体と魂――を洗濯して「霊主体従《ひのもと》」の光を輝かせなければ、立替え立直しの神業に奉仕することはできないのである。このように、王仁三郎は、筆先の文明批判を霊主体従／体主霊従という対立概念でとらえなおした。「霊」は霊魂・精神を、「体」は身体・物質を指し、体主霊従＝物質万能主義の西洋文明に従う現状から、霊魂や精神的価値を重んじる霊主体従の日本魂《やまとだましい》に立ち返ることが求められる。

外国の文明を否定する深刻な排外思想のようだが、なおとは異なり、王仁三郎は近代の物質文明をかたくなに拒絶したわけではない。雑誌や新聞、後には映画、博覧会と、最新のメディアを積極的に用いて宣伝活動を行うなど進取の気性に富んだ人物でもあったから（ストーカー二〇〇九）、あくまでも「霊」と「体」の優先順位の問題なのである。また彼が人類はすべて神の子だとし、外国人を蔑視することを戒めていたという事実もつけ加えておこう。

さて、王仁三郎によると、「今の人民は永らく体主霊従《あくしゅれいじゅう》の中に染り切りて」いるので、容易には改心ができない。これまで身につけてきた知恵や学を脇に置いて、一心に神の教えを信じ、従う必要がある。神の実在を信じることができない、疑り深い現代人のために活用されるのが、鎮魂帰神の行法である。

†霊魂統御の技法とそのほころび

鎮魂帰神とは、幕末から明治にかけて活躍した国学者・神道家の本田親徳《ちかあつ》が確立した行法で、人が自由に神霊と交感する技術である。本田は、この鎮魂帰神法と、幽冥界に関する知識の体系化としての審神者《さにわ》の法則を組み合わせて、彼の霊学を作り上げたとされる。

王仁三郎は本田の弟子である長澤雄楯《かつたて》からこれを学び、なおの教団にも導入した。簡単にその実修法を記すと、以下のようである。修業者は手を一定の形式に組みあわせて瞑目静坐する。審神者《さにわ》と呼ばれる神霊の弁別者が天津祝詞《あまつのりと》を奏上し、天《あめ》の数歌《かずうた》をとなえ、石笛を吹き鳴らして、「ウー」の言霊《ことだま》によって霊を送る。すると修業者に憑依《ひょうい》した霊が発動して両手を振動させ、言語を発する場合がある。審神者は対話を通じてその霊の素性を見分け、悪神・邪神は斥けられるのだという（大本七十年史編纂会一九六四）。

大正期には、大本を代表する行法として広く知られるようになり、興味本位の者も含め、修業のために多くの人々が綾部を訪れた。明治末から大正期にかけて、心理学者・福来友吉《ふくらいともきち》の念視・透視実験や霊術団体・太霊道《たいれいどう》の電子術など、神秘的・呪術的な現象に対する関心が高まっており、大本の鎮魂帰神法はその中心的な存在となっていった。憑霊現象の真偽をめぐって激しい批判も巻き起こったが、それ自体がブームの大きさを物語っている。明治維新以降、合理性に価値を置いて進められた近代化過程が一段落した時期に訪れた、「非合理の復権」というべき現象である（西山茂「現代の宗教運動——〈霊＝術〉系新宗教の流行と「2つの近代化」」大村英昭・西山茂編『現代人の宗教』有斐閣、一九八八）。

こうした非合理なものへの傾倒は、近代の宗教や神社をめぐる動向へのアンチ・テーゼともなっていた。明治のはじめから、近代国家は神がかりを伴う宗教活動を〝迷信〟として抑圧するとともに、神社神道を「国家祭祀」として宗教から切り離し、そこから霊魂や救済の問題を排除していった。公認の諸宗教も、大勢としては脱呪術化の方向をめざした。そのようななかで、近代国家が排除した霊魂との直接交流の道を開く大本の立場が挑戦的なものだったことはたしかだ。

しかし、鎮魂帰神法の異端性だけを強調するのは一面的だろう。この行法は霊を審定・統御する審神者の重要性を強調するところに特徴があり、発動する多様な霊魂を序列化して、大本の教義体系のなかに回収する実践だった。そしてその先には国家主義的な目的が用意されている。たとえばこの行法にとくに熱心だった浅野和三郎は、鎮魂帰神の実修によって邪神を斥け、正神の守護を得ることで、被術者は「道義的世界統一を実行すべき日本人の資格」を得ることができると力説した（浅野和三郎『大本神諭略解』大日本修斎会、一九一八）。大正維新の実現に向けて霊魂の次元をも動員し、忠良なる日本臣民を作り上げる装置が鎮魂帰神法だったのである。

だが、指導者層のこうした構想が、有効に機能していたかどうかは別問題である。明治期、大本に鎮魂帰神法を導入した当初から、王仁三郎は発動した霊魂の「自由行動」（『神霊界』一九一九年八月一五日号）に手を焼いていた。邪神の虜となった修業者があらぬことを口走り、騒ぎまわるアクシデントが続出したといわれている。これに懲りた王仁三郎は実修を停止していたが、浅野が復活させて大正期の大流行となったのである。

この時点でも、王仁三郎はこの行法に微妙な距離をとっていた。彼は機関誌でくりかえし鎮魂帰神法の濫用を戒め、「誠さえありて神の申す事が一度に解る人民の御魂でありたなら、鎮魂や帰神の修行は要らぬ」（『神霊界』一九一九年一月一日号）とものべている。しかしトラブルは後を絶たず、原理も目的も知らずに見世物的な「デモ鎮魂」（『神霊界』一九二一年八月二一日号）を行う者や、大本の教義体系から逸脱した新たな神格の出現を主張する者も現れた。民間で培われてきた憑霊信仰と結びついて、大本霊学の理念はかき乱されていったのである。

最終的には、治安上の問題があるとする警察の介入をきっかけに、王仁三郎は鎮魂帰神法実修の禁止を決めることになる。このシステム自体がもつ、霊魂を管理し、序列化し、統御しようとする志向性と、その実践が不可避的に呼び寄せる霊魂の「自由行動」というリスクとの間の矛盾が、限界に達してしまったのだといえる。

大正期の王仁三郎は、過激なユートピア構想を描き、霊魂の次元を射程に入れた多層的な人間観を呈示した。それらは近代日本に対する総体的な異議申し立てだったが、同時に彼の思想は天皇への帰一を説き、多様な霊魂を国家主義的教義体系に組み入れることで、異端化にみずからブレーキをかけるしくみを内蔵していた。だが、鎮魂帰神法という装置を通じて神秘体験に足を踏み入れた人々の欲望は、王仁三郎の意図を踏み越えて国家主義的な枠組みを掘り崩していく。こうした不調和を抱えた軌跡にこそ、大本の真の異端性があったのだ（永岡二〇一五）。

†大正維新から昭和維新へ

一九二一年の第一次大本事件は、出口王仁三郎と大本にとってひとつの転換点だった。開祖・出口なおはすでにこの世を去っており、事件後には浅野和三郎ら知識人幹部の多くが大本を離れた。そのことで王仁三郎は絶対的なカリスマとして教団を掌握し、みずからのアイデアをより自由に実践していくことになる。事件直後、神諭と並ぶ新たな根本教典として、八一巻に及ぶ『霊界物語』の口述を開始したことは、その象徴的な表現だった。

一九二〇年代の大本は、アジアやヨーロッパの諸宗教との交流や、諸教同根（あらゆる宗教は根源を同じくする）を理念とした人類愛善会の創設、国際共通語として注目されていたエスペラント語の採用など、国際的な活動を積極的に展開した。ワシントン条約体制下の国際協調的な時代精神に呼応して、事件前の排外主義的主張は後景に退き、世界同胞主義《コスモポリタニズム》的な性格が浮上するのである。王仁三郎は変節したのだろうか。

そうは言いきれないところがある。事件以後も、王仁三郎の日本中心主義は健在だった。とくに満洲や内モンゴルについて、彼は当時の帝国主義的言説に寄り添うように、この地域における日本の権益を確保することの重要性を力説していた。人類愛善の心をもって大本（日本）が大陸に進出することは、彼にとって矛盾ではなかったのだ。大正維新論では国内の国家家族制度を実現した後で世界大家族制度に向かうという順序が説かれていたが、前者が実現しないまま、後者に向けた取り組みに着手したとみることもできる。

そして満洲事変勃発後、王仁三郎・大本はふたたび国家主義的性格を強め、「昭和維新（皇道維新）」を掲げて激しい運動を展開する。王仁三郎が発表した綱領的文献「皇道維新に就て」（一九三四年）は、「大正維新に就て」に若干の修正を施したもので、基本的な主張に変更はなかった。天皇機関説排撃、ワシントン海軍軍縮条約破棄などの政治的主張や飢饉に強い陸稲の普及などの農村救済運動を軸に、大正維新のときよりも具体的なテーマを設定して多くの賛同者を集めたが、一九三五（昭和一〇）年に治安維持法違反・不敬罪ほかの容疑で破壊的な弾圧を受けることになる。日本の敗戦とともに復活を果たすまで、大本は完全な沈黙を余儀なくされた（第二次大本事件）。

二度目の弾圧にいたる大本の歩みは、アジア・太平洋戦争に向かう日本社会が抱えた諸矛盾を照らし出すサーチライトとなるはずだ。ただし、それを王仁三郎という異端のトリックスターの物語に回収してしまうべきではない。多様な担い手がそれぞれの思惑や欲望を持ち込んで王仁三郎の思想を増幅し、あるいは誤読しながら展開した、複雑な群像劇としてとらえなおすことが必要なのである。

さらに詳しく知るための参考文献

大本七十年史編纂会『大本七十年史』上下巻（大本、一九六四・六七）……歴史学者らの協力を得て編纂された大本の教団史。徹底した史料調査にもとづいて大本の思想・運動や社会状況の関係を網羅的に叙述した大本研究の基本文献である。

鹿野政直『大正デモクラシーの底流――〝土俗〟的精神への回帰』（NHK出版局、一九七三）……大正期の社会的諸事件についての大本の態度を検証し、同時代のデモクラシーや階級闘争といった諸思潮と批判的に対峙した民衆思想としての特徴を浮き彫りにしている。

安丸良夫『出口なお――女性教祖と救済思想』（岩波現代文庫、二〇一三）……出口なおの筆先を民衆の思想表現として読み解いた古典的著作。立替え立直しを説いた筆先の言葉が、苦難に満ちたなおの生活史、そして彼女を取り巻く社会状況に照らして再構成される。

栗原彬『歴史とアイデンティティ――近代日本の心理＝歴史研究』（新曜社、一九八二）……大本が唱えた「皇道」について、それは現存の統治体制を否定して天皇制以前の神の政治を志向するものだったと論じる。彼らは、天皇制のレトリックに過剰同調しながら「内からの反逆」をめざしたのだという。

池田昭編『大本史料集成』Ⅰ〜Ⅲ（三一書房、一九八二〜八五）……筆先や機関誌掲載の諸論考、第一次・第二次大本事件の裁判資料をはじめ、大本の関連文献を数多く収録した史料集。

ナンシー・K・ストーカー『出口王仁三郎――帝国の時代のカリスマ』（岩坂彰訳、原書房、二〇〇九）……出口王仁三郎を「カリスマ的宗教起業家」として論じた著作。たんなる復古主義ではなく、最新のメディア・テクノロジーを駆使し、多様な文化現象に敏感に反応する王仁三郎の姿が浮かび上がる。

永岡崇「霊魂をとらえ損ねる――神の声から考える民衆宗教大本」（『人文學報』一〇八号、二〇一五）……近代国家と民間信仰圏、双方の霊魂観に介入し、媒介する霊魂の専門家として出口王仁三郎をとらえ、鎮魂帰神の思想と実践に生じる緊張関係を検討している。王仁三郎と信者層のズレに注目することで、大正期の大本のもつ複雑性が論じられる。

川村邦光『出口なお・王仁三郎』（ミネルヴァ書房、ミネルヴァ日本評伝選、二〇一七）……出口なおと王仁三郎の生涯全体を論じた評伝。第二次大本事件中、信者たちの間で語られた王仁三郎＝救世主幻想に注目し、獄中にあった生身の王仁三郎を超えて広がったイマジネーションの可能性を描いている。

第13講

水平社の思想

佐々木政文

†部落差別と全国水平社

全国水平社とは、一九二二（大正一一）年三月三日、京都市の岡崎公会堂で創立大会を開いてから、一九四二（昭和一七）年一月二〇日に法的に消滅するまでの約二〇年間にわたって活動した、部落差別の撤廃を目指す被差別部落民による運動団体である。

部落とは、人々が集まって住んでいる場所全般を指す言葉であり、簡単にいえば「集落」の別の言い方であると考えてよい。日本では、特定の部落の居住者・出身者とその縁故者が社会的に不当な扱いを受けることがあり、これを部落差別と呼んでいる。たとえば、個人の出自が原因となって結婚や就職が自由にできなかったり、貧困な世帯が極端に多かったり、近年ではインターネット上に差別的な文言が書き込まれたりする。このような形で不当な扱いを受けている部落を総称して被差別部落というが、その多くは、江戸時代には「穢多《えた》」と呼ばれる被差別民の集団が住んでいた場所だった（一部、「非人《ひにん》」など他の被差別民の場合もある）。それらの被差別民の存在は、一八七一（明治四）年八月二八日、明治政府が発布した賤民廃止令（「解放令」ともいう）によって制度上廃止されたが、その後も彼らに対する社会的な差別がなくなることはなかった。彼らとその子孫にあたる人々は、賤民廃止令以降には「新平民」、一九〇〇年代以降には「特殊部落民（特種部落民）」といった差別語で呼ばれ、地域社会から厳しく排除されつづけた。

全国水平社の創立は、右のような差別の不当性に対して被差別部落民自身が組織的かつ明確に抗議しはじめたことを意味する、画期的な事件とされている。創立大会では、水平社の綱領として「特殊部落民は部落民自身の行動によつて絶対の解放を期す」、「吾々特殊部落民は絶対に経済の自由と職業の自由を社会に要求し以て獲得を期す」、「吾等は人間性の原理に覚醒し人類最高の完成に向つて突進す」の三項目が発表された。

現在よりもはるかに差別意識が強かった大正時代において、差別に抗議する被差別部落民の出現は、極めて衝撃的な出来事だった。その理由は大きくいって二つある。一つ目は、当時、被差別部落民はいわゆる「大和民族《やまと》」とは異なる種族とされ、両者を社会的に区別することが当然であるかのように思われていたからである（この理解は現在ではすでに否定され、「大和民族」の内部から被差別民が生み出されたという理解が主流になっている）。二つ目は、一九〇八（明治四一）年頃から行政によって行われていた、被差別部落の生活をよりよくするための施策（部落改善政策）においては、部落差別の原因は被差別部落民の素行の悪さや社会的意識の乏しさ、浪費が多いことによる貧しさ、衣食住の不衛生などにあるとされていたからである。このように差別の存在が半ば当然視されていた当時にあって、被差別者自身が〝差別の原因は自分たちにではなく、差別を容認する社会の側にあるのだ〟と訴えはじめたことは、歴史の大きな転換点であった。

†喜田貞吉の被差別民研究

それでは、差別を容認する社会の責任を告発する全国水平社のような考えは、いつ、どのようにして生み出されたのだろうか。この問いに答えることは決して容易ではない。しかし、本講では一つの回答例として、一九一九（大正八）年以降、日本の人文・社会科学界における被差別部落の位置づけが大きく変化しつつあったことが、右のような考えが生まれる背景となっていたことを指摘しておきたい。

当時の日本では、古代に中国や朝鮮半島から日本列島に渡ってきた人々が定着して被差別民になったという異民族起源説や、被差別部落民は多くの日本人とは身体的特徴の異なる人々であるという人種起源説、元々肉食をしていた人々が仏教・神道の影響によって差別されるようになったという宗教起源説などの俗説が広まっていた。これらの俗説は、突き詰めれば、被差別部落民は日本人ではないという考えに繫がり、彼らに対する社会的差別を助長するものとなっていた。

これに対して、被差別部落民とは何者なのかという問題を慎重に考えようとしたのが、歴史学者の喜田貞吉《きたさだきち》（一八七一〜一九三九）であった。阿波国（現在の徳島県小松島市《こまつしま》）の農村に生まれた喜田は、一八九六（明治二九）年に帝国大学文科大学（現在の東京大学文学部）史学科を卒業し、その後大学院に学んだ。一九〇八年には京都帝国大学（現在の京都大学）の講師となり、民俗学・考古学・歴史地理の視点を取り入れた日本古代史研究で注目を浴びていた。一九一八（大正七）年夏、米騒動に多くの被差別部落民が参加したという報道に衝撃を受けた喜田は、被差別民の歴史を解明することによって現実の社会から差別をなくすことを目指し、翌年一月に個人雑誌『民族と歴史』を創刊して以降、被差別部落の歴史的起源についての論文を次々に発表していった。

喜田は『民族と歴史』（第二巻第一号、一九一九年七月）を「特殊部落研究号」と題し、ここに被差別民に関する喜田自身の論文をまとめた。その巻頭に収録された「特殊部落の成立沿革を略叙して、其解放に及ぶ」という講演録は、喜田の被差別部落理解を集約している。

まず、喜田は、被差別部落の人々が差別されるのは「特殊部落」や「新平民」といった名称のためではないとし、その証拠に「（御《ご》）家人《けにん》」という歴史的名称の存在を挙げた。すなわち、古代において「家人《けにん》」とは、主家に仕える卑しい存在を意味した。しかし、平安時代には、「家人」であった源平の武士が主家以上の権勢をふるうようになった。さらに、源頼朝が政権を取ると、その下についていた「家人」は大名となり、「御家人」という敬称で呼ばれるようになった。つまり、歴史上、「其の名は賤しいまゝでも、内容が改まれば立派なものになる」という実例はあり、それと同様に「特殊部落」という名称も将来的には「特殊に親しむべく、特殊に信頼すべきもの」という意味をもちうるとした（「特殊部落の成立沿革を略叙して、其解放に及ぶ」一六〜一九頁）。

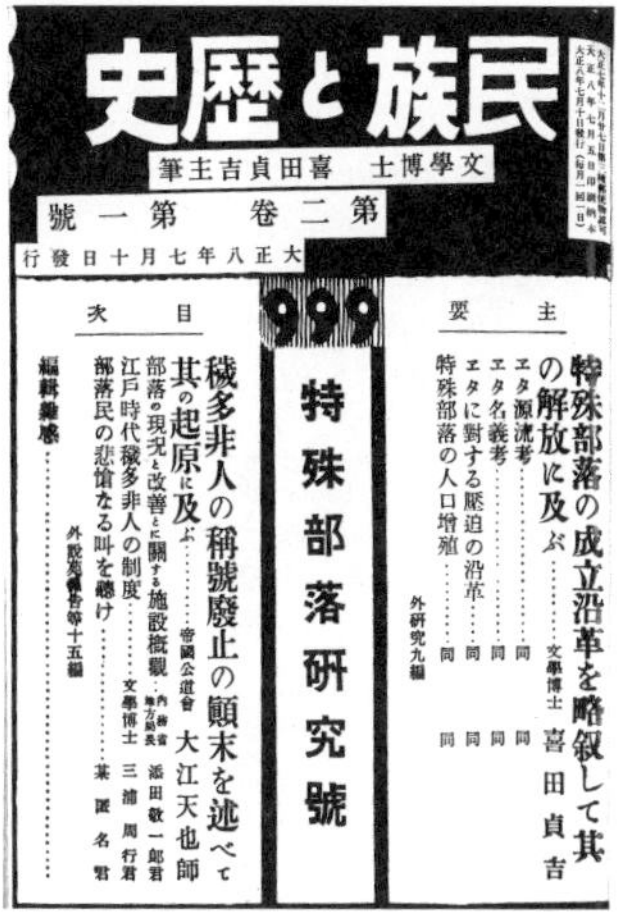
民族と歴史
文學博士 喜田貞吉主筆
第二巻第一號
大正八年七月十日發行
特殊部落研究號
主要
特殊部落の成立沿革を略叙して其の解放に及ぶ……文學博士 喜田貞吉
エタ源流考……同 同
エタ名義考……同 同
エタに對する壓迫の沿革……同 同
特殊部落の人口増殖……同 同
外研究九編
目次
穢多非人の稱號廢止の顚末を述べて其の起原に及ぶ……帝國公道會 大江天也師
部落の現況と改善とに關する施設概觀……内務省地方局長 添田敬一郎君
江戸時代穢多非人の制度……文學博士 三浦周行君
部落民の悲愴なる叫を聽け……某 匿名君
編輯雜感……
外說苑雜錄等十五編

『民族と歴史』第２巻第１号（「特殊部落研究号」）表紙（『部落問題資料文献叢書』世界文庫、1968）

次に、喜田は被差別部落の異民族起源説を明確に否定した。喜田は現在の日本人の祖先を「天孫民族」と呼び、その特徴は「あらゆる民族を悉く自分の仲間に入れてしまふ」という「度量」の広さにあるとした（同前、六三頁）。だから、過去の日本において、「天孫民族」とは系統が異なるという理由によって特定の人間集団が差別されたはずはない、と喜田は考えた。

†部落差別の起源としての職業・身分

それでは、「穢多《えた》」身分の人々はなぜ差別を受けるようになったのだろうか。その原因として喜田が挙げるのが、職業と身分の二つであった。

江戸時代において「穢多」と呼ばれた人々の多くは、牛馬の遺体を解体してその皮革を採集・加工・出荷すること（斃牛馬処理《へいぎゅうば》）を主な生業としていた。前近代の日本では、人間や動物の生死に関わる事柄は「ケガレ」として忌避されたため、これらの皮革業者も「ケガレ」た存在と見なされて差別された。このことから被差別部落発生の原因は彼らの職業にあったとする説を、職業起源説という（この説は現在でも完全には否定されていない）。喜田も、「ケガレ」意識が強かった時代に「死牛馬の皮を剝ぎ、其肉を喰ふものが穢れた者として賤しめられたのは、実際已むを得なんだのでありますが、職業上から言へば是も必要であ」ったと、職業起源説を重視する立場にたっている（同前、二五頁）。

しかし、喜田は、「穢多」の源流には皮革業者以外にも様々なものがあり、全体としてみれば「穢多」は「非人《ひにん》」とそう変わらない、という。喜田によると、彼らは歴史上、明確な根拠がないまま「穢多」や「非人」としてひと括りに扱われた。その後、「穢多」に対する差別が、

「非人」に対する差別を上回るようになり、「穢多」はますます人々が嫌がる仕事に就くことを余儀なくされた。その結果、後年には「穢多」に対する差別だけが強く残っていった。したがって、現在の被差別部落は「最後まで解放から取り残されるといふ様な、貧乏鬮《くじ》を引いて居る」（同前、二六頁）と喜田はいう。これは、現在の歴史学の用語でいえば、「穢多」という身分の成立が彼らへの社会的差別を助長した、という考え方である（ただし、喜田自身は身分という言葉を使わず、単に「穢多非人」の「区別」という言い方をしている）。

以上のように、喜田は、部落差別が生まれる原因は被差別民の側ではなく、各時代の社会状況の側にあったことを示した。それは、喜田にとって、今後社会状況が変化すれば被差別部落の地位も向上する可能性があるという、将来への希望を含んだ主張でもあった。

†佐野学の部落解放思想

右のような喜田の研究成果に刺激を受けつつ、これを積極的に読み替えることで独自の部落解放論を提示したのが、社会学者の佐野学《さのまなぶ》（一八九二～一九五三）だった。

佐野は大分県（現在の杵築《きつき》市）出身で、東京帝国大学法科大学（現在の東京大学法学部）および同大学院に学んだ。佐野の専門分野は「日本社会史」であり、特にマルクス主義理論によって過去の日本社会の階級構成を分析することを得意としていた。一九二一（大正一〇）年四月に佐野は早稲田大学商学部講師となったが、その前後から雑誌『解放』において、「日本社会史」に関する論文を立て続けに発表していた。そのなかに、「特殊部落民解放論」(『解放』第三巻第七号、一九二一年七月)という有名な論文がある。

ここで佐野は、喜田の説を参照しながら、人種起源説と職業起源説の両者を折衷する形で被差別部落の起源を説明した。佐野によれば、日本の古代国家が成立したとき、征服を受けた民族は奴隷となった。その一部は後に職業の分化を遂げ、「穢多族」という一つの階級を形成し、平安時代末期には「賤業に従事する職業的団体」となったという(「特殊部落民解放論」、三四〜三六頁)。喜田が重視した職業起源説を引き継ぎながらも、人種起源説をも否定せず、被差別部落民を「穢多族」という種族集団として理解したところに、佐野の特徴がある。

また、近世に部落差別が強化された理由について、喜田が「穢多」身分の成立を重視したのに対して、佐野は「徳川幕府の差別的政策」の存在を重視した。佐野によれば、江戸時代においては、武士階級を擁護することが政治の基本とされており、百姓・町人は奴隷的な地位にあった。そのなかで、幕府は「専制に屈従した愚鈍なる徳川期の人民の頭脳に穢多賤視の感情を強く植ゑ」つけたため、被差別部落民の社会的地位は「徳川時代に於て一層悲惨なものとなった」(同前、三八〜四〇頁)という。江戸時代の権力が人民を支配するために「穢多」・「非人」という被差別身分を政治的に創りだしたとする説を近世政治起源説といい、一九六〇年代以降、研究・運動・教育の各方面に大きな影響力をもったが、佐野の説はその先駆例といえるものである（現在では、この説はあまりに一面的であったとして、かつてほどの支持を集めなくなっている）。

実は、右の説明は、部落差別が将来の社会において解消する可能性を示唆するものでもあった。なぜならば、差別意識を民衆に植え付けた徳川幕府や、それを支えた武士階級の存在は、近代においてはすでに消滅しているからである。そこで佐野は次のように、平安時代末期における武士の台頭との類比によって、部落解放の戦略を訴えた。

歴史的に見れば、賤民と呼ばれた社会群がよく其地位を向上し得たのは、自ら其社会的地位を認識し、力ある集団運動を試みた結果に外ならない。其最も顕著な例を成すものは平安朝末期より興起した武士階級である。彼等は家人と呼ばれた賤民の地位より漸次に当時の支配者階級たる貴族を斃《たお》して是に代つたのである。知識と勇気と熱情とを有する部落出身の少壮者が中心となり、集団を作り、諸種の運動に従つたならば、其効果は重大であらう。（同前、四一頁）

ここで佐野が喜田の歴史理解を踏まえていることは明らかである。しかし、喜田が被差別民の歴史の学問的解明をもって部落解放の手段としたのに対して、佐野は、「部落出身の少壮者」

の「集団」による運動という、より現実的な手段による部落解放を主張した。この佐野の考えは、「特殊部落民の解放の第一原則は特殊部落民自身が先づ不当なる社会的地位の廃止を要求することより始まらねばならぬ」という命題に集約されることとなった（同前）。

以上のような佐野の主張は、ロシア革命後の世界で注目されつつあったマルクス主義思想に刺激を受けつつ、喜田の歴史理解を実践運動の理論として再解釈したものであった。

†被差別部落民の応答

佐野の主張は、従来の部落改善政策の効果に疑問をもつ被差別部落の有力青年たちを強く勇気づけた。当時の部落改善政策では、被差別部落の生活をどのように改めるべきかについて、府県や郡市町村の官僚が方針を立て、それを各被差別部落の有力者を通じて民衆に周知・徹底させようとする手法が一般的だった。しかし、それは被差別部落民からすれば、自分たちの自尊心を傷つけるばかりで差別そのものの解消には繋がらない、実りのない政策であった。これに対して、被差別部落民自身が運動を起こすことによって初めて部落解放が実現されるという主張は、現実的な説得力に溢れているように見えたのであろう。

最初に声を挙げたのは奈良県南葛城郡《みなみかつらぎ》掖上村《わきがみ》（現在の御所市《ごせ》）の被差別部落の有力青年であった西光万吉《さいこうまんきち》（一八九五〜一九七〇、本名清原一隆《きよはらかずたか》）、阪本清一郎《さかもとせいいちろう》（一八九二〜一九八七）、駒井喜作《こまいきさく》

（一八九七〜一九四五）らであった。彼らは一九二〇（大正九）年五月に燕会《つばめかい》という部落の消費組合団体を設立し、これを経営する傍ら社会問題についての学習を進めていたが、佐野の「特殊部落民解放論」を読んで深く感激し、翌年八月から全国水平社創立の準備を進めた。翌年一二月に水平社創立事務所から発行・頒布された小冊子『よき日の為めに——水平社創立趣意書』は、被差別部落民に対して差別との闘争を訴える文脈で、佐野の「特殊部落民解放論」の一節である「解放の原則」を転載している。そして、一九二二年三月三日に京都市で開かれた全国水平社創立大会には、全国各地の被差別部落から一〇〇〇人ほどの参加者が集まり、運動の旗揚げを行ったのである。

†水平運動に対する喜田説・佐野説の影響

以上の経緯によって創立された全国水平社は、その後、基本的には佐野の手を離れて、被差別部落出身の幹部によって運営されていった。また、初期の水平運動の戦略は、差別的言動をとった者に対してその真意を繰り返し追及し、最終的には正式な謝罪を引きだすという、いわゆる「徹底的糺弾《きゆうだん》」が中心であったが、この発想も佐野の論文にはなかったものである。しかし、水平運動の目標には、喜田の説を読み替えることで部落解放を主張した佐野の思想からの影響が認められる。たとえば、西光が起草し、駒井が創立大会で読み上げた有名な「宣言」には、次のように謳われている。

我々の祖先は自由、平等の渇仰《かつごう》者であり、実行者であつた。陋劣《ろうれつ》なる階級政策の犠牲者であり、男らしき産業的殉教者であつたのだ。ケモノの皮剥ぐ報酬として、生々しき人間の皮を剝取られ、ケモノの心臓を裂く代償として、暖かい人間の心臓を引裂かれ、そこへクダラナイ嘲笑の唾まで吐きかけられた呪はれの夜《よ》の悪夢のうちにも、なほ誇り得る人間の血は、涸《か》れづにあつた。そうだ、そうして我々は、この血を享《う》けて人間が神にかはらうとする時代にあうたのだ。殉教者が、その荊冠《けいかん》を祝福される時が来たのだ。

我々がエタである事を誇り得る時が来たのだ。

引用文の前半にある「陋劣なる階級政策」とは、佐野が重視した徳川幕府による武士階級擁護・「穢多」賤視の政策を意味している。また、「産業的殉教者」という言葉には、「穢多族」を「職業的団体」として捉えた佐野説の影響を見て取ることができる。

一方、引用文の末尾にある「我々がエタである事を誇り得る時が来たのだ」という主張は、佐野の主張とは多少食い違っている。なぜならば、佐野は、被差別部落民は「経済的弱者」・「被搾取者」として他の労働者・農民とも連帯すべきであると捉えており（「特殊部落民解放論」、四一頁)、必ずしも被差別部落民に固有のアイデンティティ意識を求めてはいなかったからである。この部分の記述については、被差別部落出身の労働運動家であった平野小剣《ひらのしょうけん》の思想的影響が指摘されているが(朝治武『水平社の原像――部落・差別・解放・運動・組織・人間』解放出版社、二〇〇一、二七頁)、それと同時に、「新平民」や「特殊部落」という名称を残したままでも差別の解消が可能であるとした喜田の主張との連続性が指摘できるだろう。

創立大会後の夜に開かれた協議会では、多数の被差別部落青年たちによって、「今の世の中に賤称とされてゐる『特殊部落』の名称を、反対に尊称たらしむるまでに、不断の努力をすること」が主張されたが(『水平』第一巻第一号、三一頁)、ここではあたかも喜田の主張がそのまま繰り返されているかのようである。喜田自身は、過激な運動は社会の反感を招くとして水平運動に批判的であったが、その運動の成立事情について、「裏面にあって喜田が煽動したものだ」、「喜田が余計なことを宣伝するから、彼らがつけ上ってあんな乱暴を働き出したものだ」といった非難を受けたことを、後に回顧している(喜田『六十年の回顧』一九三三〔『喜田貞吉著作集14』平凡社、一九八二所収〕一七二頁)。

以上、本講では、被差別部落民の地位は各時代の社会状況のなかで変化しうるとした喜田貞吉の歴史学が、マルクス主義社会学者であった佐野学によって具体的・実践的な運動理論へと組み替えられ、全国水平社の思想を生み出したことを指摘した。一般に人文・社会科学の研究は実社会と無関係であるように思われがちだが、一九一九～二二年当時の最新の歴史研究の成果が全国水平社という画期的な社会運動団体を生み出したことを、一〇〇年後の今なお記憶に留めておきたい。

さらに詳しく知るための参考文献

松尾尊兊『大正デモクラシー』（岩波現代文庫、二〇〇一／初刊一九七四）……水平社を含む各種社会運動団体の成立を、大正デモクラシーという時代状況のなかに位置づけた古典的名著。

藤野豊『水平運動の社会思想史的研究』（雄山閣、一九八九）……水平運動の思想的限界を明らかにしようとした研究書。特に、水平運動に関わった人々が、天皇の下での「臣民」としての「平等」を追求していたことを明らかにした点は重要である。同書を踏まえた最新の概説書として、藤野豊・黒川みどり『人間に光あれ――日本近代史のなかの水平社』（六花出版、二〇二二）もある。

朝治武『水平社の原像――部落・差別・解放・運動・組織・人間』（解放出版社、二〇〇一）……宣言・綱領・決議・規約・水平歌・荊冠旗を軸として水平運動の全体像を描き出した研究書。同じ著者による最新の概説書として、朝治武『全国水平社　1922―1942――差別と解放の苦悩』（ちくま新書、二〇二二）もある。水平運動の全体像を知るには、まずはこれらの本を手に取ってほしい。

鈴木良『水平社創立の研究』（部落問題研究所、二〇〇五）……奈良県農村の地域社会状況のなかに水平運動の成立を位置づけようとした研究書。掖上村を中心とする全国水平社創立準備の過程を、社会経済史の視点から詳しく分析している。

コラム11 社会政策・社会事業論

杉本弘幸

一九世紀後半のドイツで、最初に社会政策という概念が登場する。日本にドイツから社会政策の概念が移入されたのは、一八八〇年代だった。金井延《かないのぶる》は、ヨーロッパへの留学から帰ると、東京帝国大学や各種学校で社会政策という言葉を普及させる。一八八〇～九〇年代においては、社会政策は貧困問題対策と社会改良の双方を含む概念だった。この時期、窪田《くぼた》静太《しずた》郎《ろう》など内務省の有志で結成された貧民研究会や、金井などが中心となった社会政策学会などの研究団体が生まれた。彼らの主張である社会改良主義の中でも、社会政策の専門家は労働問題としての貧困問題に関心があった。しかし、すでに慈善事業関係者は、社会政策を労働問題に限定しない総合的な視点を持っていた。歴史的にみれば、工場法や医療保険制度などの労働立法や慈善事業も、社会政策の一部であり、社会改良がその目的であった（金子良事「日本における『社会政策』概念について」『社会政策』二―二、二〇一〇／石井洗二「『慈善事業』概念に関する考察」『社会福祉学』五五―三、二〇一四）。

一九世紀末までの日本の都市下層民は都市スラムや被差別部落の共同性に依拠して、

日々の生活を送っていた。彼／彼女らは世帯形成が難しかった。しかし、彼／彼女らは第一次世界大戦以降、日本の工業化が進み、都市化と人口増加が顕著となると、経済的に上昇し、核家族を形成しはじめる。このように近代家族を形成した人々は、それまでの都市スラムや被差別部落の共同性から離脱し、地域の中で生活できるようになる者もあらわれはじめた。また、都市中間層の生活難問題がクローズアップされていた（中川清『日本都市の生活変動』勁草書房、二〇〇〇）。

この時期、単身独身男性を中心として都市民衆騒擾がさかんに起こり、一九一八年には、全国的に米騒動が勃発する。騒擾の背景には、当時の人々の生活難と不安や怒りがあった（藤野裕子『都市と暴動の民衆史』有志舎、二〇一五）。さらに、都市スラムや被差別部落に、植民地朝鮮から朝鮮人や、沖縄本島を中心とする南島諸島地域の人々などが流入、あるいは新たな集住地区を形成して、複合的な「都市下層社会」が形成される（外村大《とのむらまさる》『在日朝鮮人社会の歴史学的研究』緑蔭書房、二〇〇四／杉本弘幸『近代日本の都市社会政策とマイノリティ』思文閣出版、二〇一五）。

社会事業という概念は、欧米では一九一〇年代から二〇年代にかけて使われはじめた。日本で一般的に使用されはじめたのは、一九二〇年前後だった。それまでは感化救済事業、慈善事業とよばれていた。感化救済事業は、慈善事業では処理できない社会問題に対応するために、日露戦後に国家の指導により組織化された救済である救済事業と、感化事業を統合したものである。

しかし、貧困層の増加にともない、公的に組織化された救済事業でも対応できなくなり、国家や社会が積極的に救済を行う新しいシステムが必要とされた。また思想的にも、温情や好意による慈善事業から、社会の連帯責任による社会事業へという大きな転換があった。こうした社会の変化にともない、社会事業が実施されていく。日本では、隣保事業や経済保護事業が中心に行われ、家族や地域社会による相互扶助である「隣保《りんぽ》相扶《そうふ》」が強調された（池本美和子『日本における社会事業の形成』法律文化社、一九九九）。

内務省にも社会局が設置され、全国の府県や自治体でも、社会政策や、社会事業を行うための専門部門が次々と設立されていく。それらの「社会問題」と認識された人々を対象に、各都市で簡易食堂や市営住宅、隣保館の設置、方面委員制度の運用、失業救済事業などの都市社会政策・社会事業が積極的に行われた。また、同時並行で、被差別部落対象の地方改善事業や、在日朝鮮人対象の内鮮融和事業などが行われた

（外村二〇〇四／杉本二〇一五）。農村部でも、同様の農村社会政策・社会事業が進められた。

このような社会政策・社会事業をめぐる供給や受容の構造は、政策と政策対象者のせめぎあいによる相互作用により、変容していった。社会政策・社会事業は、現在の政策領域では社会政策と社会福祉を含んでいる。そこには、貧困者への「救貧」だけでもなく、中間層対象の「防貧」も含まれている。人々への住宅・資金貸与も社会事業として行われた。大正期の社会政策・社会事業が政策対象者に与えたものは、受益者が必要としたものとは異なる行政の政策遂行から発生したものだった。包摂の実態はマイノリティ、貧困者、中間層などを階層づけた包摂／排除だった。社会福祉が貧困に関わる問題だけではなく、マイノリティの普遍的な問題となった現在にもあてはまるだろう（杉本二〇一五）。

これらの社会政策・社会事業は、昭和戦前期以降、日中戦争やアジア・太平洋戦争における戦時期の国民生活における矛盾の解決や、戦力増強のための人的資源の保護育成を目的とした戦時社会政策・厚生事業へと変容していくのである。

第14講　関東大震災と民衆

北原糸子

†はじめに――「民衆」は歴史用語？

編集者から与えられた論題は「関東大震災と民衆」だが、「民衆」をどう捉えればよいのか悩んだ。ギュスターヴ・ル・ボンの「群衆」でもなく、オルテガ・イ・ガセットの「大衆」でもない「民衆」とはなにかと。日本の歴史学系論文では、「民衆」はすべての時代を通してよく登場する馴染み深い言葉であり、その言葉を通じてイメージさせる歴史のなかの民衆像はある程度共有されている。時代のなかにただ存在するのではなく、社会を支える基盤として、一定の志向性をもった集合をイメージさせる言葉だからだ。しかし、民衆の後裔である今を生きる私たち自身について、「民衆」という用語はあまり使われないことからすれば、一種の歴史用語であるのかもしれない。そこで、ここでは民衆一般ではなく、「関東大震災における民衆」と捉えることにした。社会に動揺をもたらすような大震災が突然発生した場合、普段は社会の表に出てこない人々の動きが見えてくる。被災の統計や記録、写真などから、ある程度の確度を以て彼ら民衆の実像に迫ることができるからである。一〇〇年前の関東大震災で被災した人々は一体どのようにこの厄災を生き延びたのか。ル・ボンにせよ、オルテガにせよ、それまで歴史の表に登場してこなかった一群の人々がもたらした社会的変動への驚きから始まっている。果たしてここで一〇〇年前の関東大震災における「民衆」の実像は捉えられるのだろうか。まずは簡単に関東大震災の被害全般を見ておくことからはじめよう。

†関東大震災発生と被災者の動向

関東地震の震源は相模トラフの断層によるとされ、地震の規模はマグニチュード七・九、被害地域は関東の一府六県に及んだ。焼失、全半壊、流失家屋は被害地関東圏全域で三七万戸以上、死者は一〇万五〇〇〇余人、そのうちの約九〇%は東京と横浜の焼死者であった。震災前、第一次世界大戦は日本に思いがけない好況をもたらし、都市への人口集中を促し、すでに住宅不足が生じていた。しかし、大戦終結後の金融恐慌、関東大震災による震災恐慌は多くの失職者を生み出し、状況は暗転した。地震後の火災発生による住宅焼失は、史上まれにみる住宅難民を生み出したのである。

当時の東京市は現在の二三区の約八分の一程度の面積（八一・二八㎢）であったが、ここに二二〇万人ほどの人が住んでいた。人口密度は現在よりもはるかに高く（二六・七三七／一㎢）、現在の倍近い。地震後の火災で東京市の中心部を含む四三％が焼失した。建物の倒壊や焼失で住む処を失った人々に対して、内務省が採った対策は、まずは地方へ避難するための電車賃、船賃を無料にすることであった。この対策と同時に、各県に対して義捐金を募集させ、地方へ逃れる人々への震災対応費を工面させるなどの行政上の工夫を凝らした。当時、東京や横浜へ出稼ぎに来ていて、職場を失い、住む所を焼かれた多くの労働者たちは実家を目指して帰郷し、避難先となった各県も東京周辺の鉄道駅に出張所を設けて同郷人の帰郷を手助けした。この無賃乗車は、被災地から人々を避難させる策として功を奏し、一時一〇〇万人ほどの人がそれぞれの出身地や知り合い先を目指し、焼け跡の東京や横浜から逃れた。

しかしながら、帰郷すべき故郷を持たない、あるいは故郷があっても帰ることができない人々ももちろん大勢いた。仕事を失い、住まいを失った人々は、多くの場合、公私それぞれが建てたバラックに一時期収容された。東京でバラックに仮の住まいを得た被災者や地方へ逃れた人々については、各地の公文書などを頼りに調べたことがある（北原二〇一一）。

東京市は震災の年の一〇月中下旬にバラック収容者について、詳細な調査を実施した。入居者に対する調査項目は家族数、職業、収入、財産状態、バラック管理の自治組織などにも及ぶ本格的な調査であった。芝離宮内バラックの場合は、東京商科大学生（現一橋大学）が三人～一三人で担当している。注目すべき点は、バラックへの入居がほぼ落ち着いた時期に、早々と退去時期の調査を行っている点である。ほとんど入居者たちは、バラック退去時期は「未定」と回答している（東京都「非常災害情報・バラックニ関スル調査」『都史資料集成』第六巻別冊、二〇〇五）。各所のバラックは区画整理事業の進展に伴い、震災後二年を経ないうちには撤去されることになるが、こうした住宅難民のうちには、仮住まいのバラックから立ち退きを迫られても、行く先のない人たちも多くいた。彼らのその後はどうなったのだろうか。ここでは、明治以来の慈恵的救済から社会政策への転換が図られたこの時期、対象となった彼らの足跡を追ってみよう。

†社会政策を促す震災対応策

関東大震災といえば、道路改造を中心とした区画整理の復興事業か、朝鮮人虐殺問題が論じられる。しかし、帝都復興事業は、内務大臣後藤新平の焼土買い上げ構想が帝都復興審議会で承認されず、内閣総辞職後の翌年二月から着手された内務省の都市計画局が担う事業であり、震災被災者の救済は内務省社会局が担う別の事業であった。したがって、ここには、都市計画事業は登場しない。

内務省社会局に置かれた震災臨時救護事務局は、まずは被災者の食糧、水、住まいの確保を図った。避難所とする仮設のバラック建設を東京府・市に委託し、被災者を収容した。これらの公設・私設の集団バラックは当初一〇一ヵ所、従来は貧困層の救済事業を行ってきた東京市社会局がその管理の大部分を引き受けることになった。

いうまでもなく、東京市に社会局が設けられたのは、一九一八年七月の富山の米一揆から全国に波及した米騒動をきっかけに内務省の地方局救護課が社会課（一九一九年一二月二四日）となり、翌一九二〇年三月二四日に社会局として、賑恤《しんじゅつ》救済、軍事救護、失業救済、児童保護、社会事業の五課編成で設置されたことに対応するものであった（大霞会《たいかかい》内務省史編纂委員会編『内務省史　第四巻』大霞会、一九七二）。二年後には労働争議、労働組合などの問題が各地に惹起するなかで、内務省社会局は工場法、社会保険、国際労働問題など労働関係行政を扱う機関として内局から外局となる（一九二二年一一月一日）。この二年間のうちに、救護課から社会課、さらに内局社会局が外局に格上げされていく背景には、まさに救恤《きゅうじゅつ》、救護から社会政策への転換を迫られる社会状況が反映されたものであった（安田浩『大正デモクラシー史論』校倉書房、一九九四）。内務省に連動して、東京府においては内務部社会課に総務係、救護係、児童係、防貧係が設けられたが、ここでは、東京市の動向を中心にみることにしたい。

†東京市社会局の創設

東京市の米騒動は、暴動化した関西地方に比べ大規模な騒擾《そうじょう》にはならず、参加者は五万人程

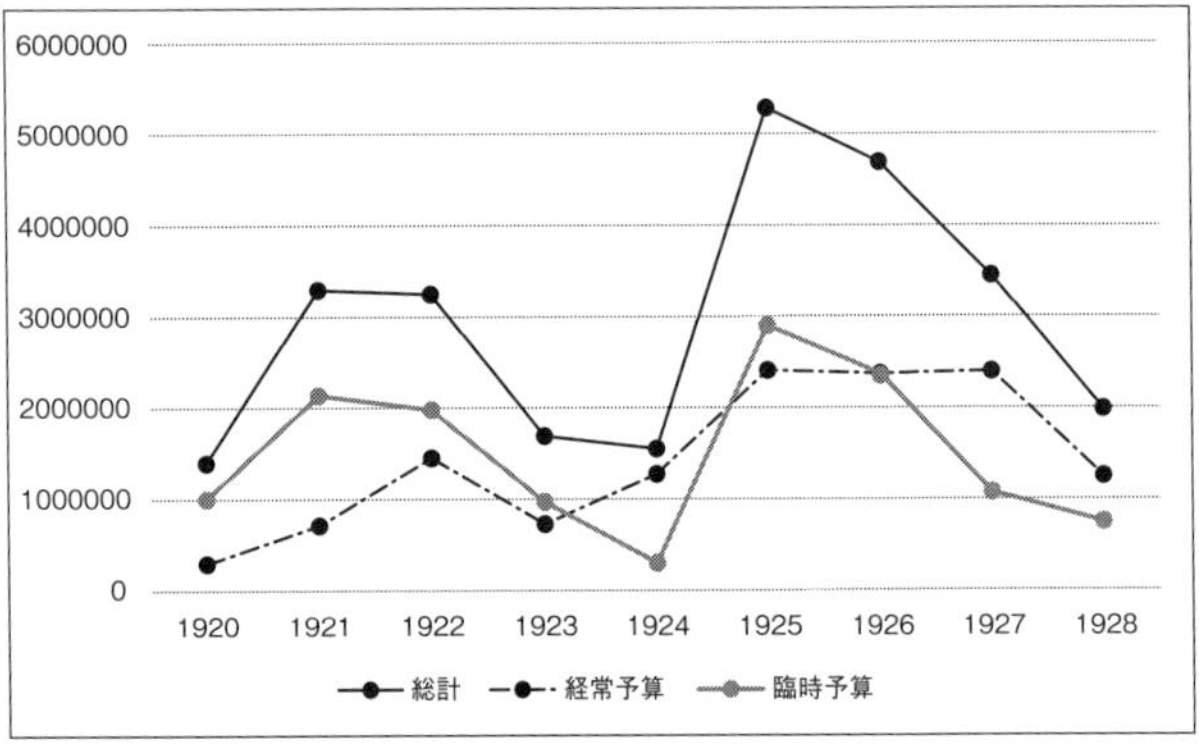

図1　東京市社会局の事業予算（1920～1928）
出典『東京社会局年報』大正9年～昭和4年
1920年の臨時予算1,001,067円のうち、追加予算848,880円を含む

度とされている（『内務省史　第二巻』）。東京市は、天皇の内帑《ないど》金《きん》三〇〇万円から配分された一七万円余やその他の救済金によって、米の廉価販売など救済策で対応した。東京市会では当時の社会状況から社会政策実施が強く要請されたが、新たに設けられた遊興税からの収入で予算面の目処が立ち、ようやく一九二〇年二月一一日に社会局が設置された。東京市社会局は、一九二〇（大正九）年から一九三七（昭和一二）年まで一八年間の、一種の業務報告を刊行した（『東京市社会局年報　復刻版』全九巻、柏書房、一九九二／『東京市社会局調査の研究――史料的基礎研究』住宅総合研究財団、一九九二）。それらの資料によると、東京市社会局の事業内容が連年拡大傾向にあったことが予算面からわかる（図1「東京市社会局の事業予算（一九二〇～一九二八）」参照）。図1にみるように、経常費と臨時費から

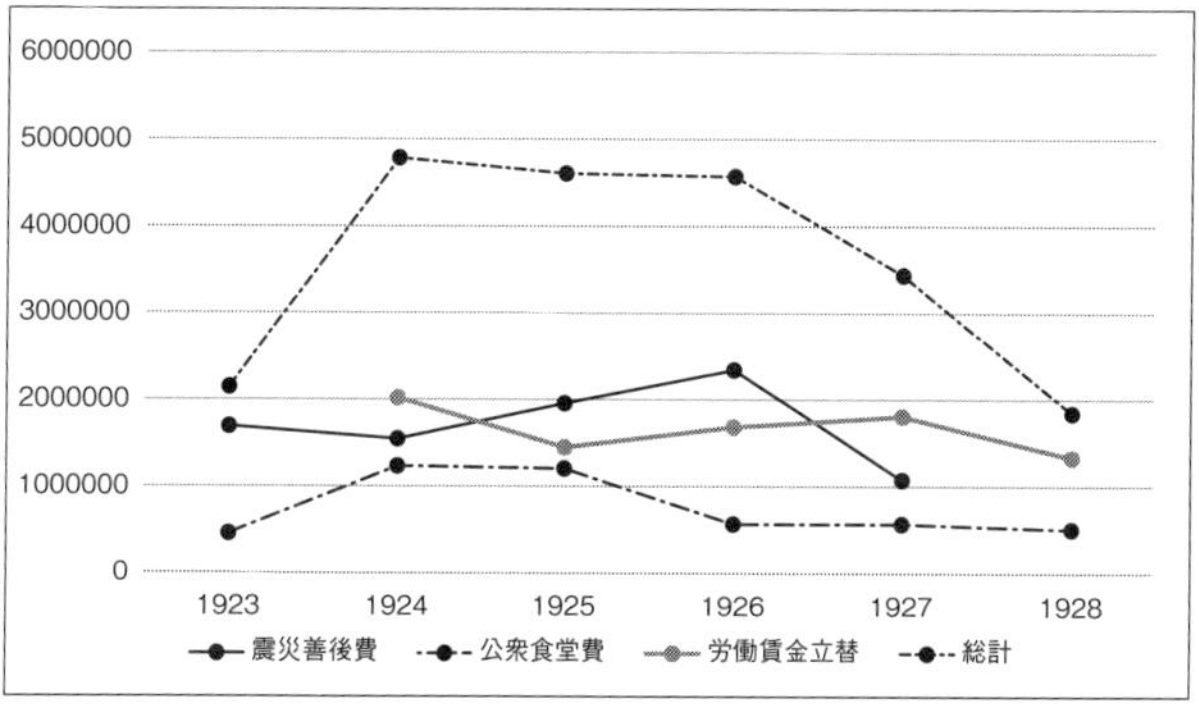

図２　震災善後費と特別予算費（1923〜1928）
出典『東京市社会局年報』（大正12年〜昭和３年）

なる予算では、経常費は大逆事件をきっかけに明治天皇の貧民済生《さいせい》の勅語に沿って創始された一九一一年来の貧民救済事業を引き継いだ施療病院、職業紹介所、事務費などで構成されるが、臨時費は社会局設置に際して新たな社会事業施設の増設に向けた費用で構成される。

さて、震災当該年の一九二三年には、社会局の年度別事業予算額は図1が示すように前年の半分ほどに減少する。一九二四年も同様だが、一九二五年には急増する。この予算額の激しい増減現象は、震災に起因する。しかしながら、震災によって社会事業が後退したわけではなく、帝都復興事業費からの追加予算が組み込まれ、事業はむしろ拡大している。図２「震災善後策と特別予算額」にみるように、一九二三年から別枠で震災善後費として、社会事業費、継続帝都復興費が一九二七年度まで支給された。このほかに、震災の一九二三年から、公衆食堂費が一二〇万円ほど、翌一九二四年から労働賃金立替及就職旅費貸付費が二〇〇万円ほど追加された。これらの金額はグラフに見るように、それぞれの年度の予算の倍に当たる金額で、震災二年目の一九二四年の予算総額は六三〇万円以上になる。通常の三倍以上に当たる予算配分があることは、それに見合う事業そのものが増加したことを意味する。では、社会局の震災業務はどのようなものであったか。

†東京市社会局の震災救護事務——集団バラックの管理

一九二三年九月一日の関東地震発生後五か月、一九二四年一月二〇日現在で東京市社会局が把握する市内震災被災者は二〇万八四七九世帯(九六万四一五〇人)、要救助者は七六一七世帯(三万五三五一人)であった(以下、『東京社会局年報』大正一二年は『年報』と略記し、そのほかは年号を表記)。

社会局の事業概況についての説明によれば、震災前からの不況により、失業者が急増する事態であったが、一九二三年の震災により一層深刻さを増した。全般的不況のなか、市内の代表的工場三八六カ所が震災によって大部分が焼失し、社会局直営事業の施設も多くの被害を受けた。従来からの社会的弱者への保護、救済事業に加え、震災による多数の失職者や住まいを失った人々への応急策により、社会局が担う業務は膨張し、就労者への賃金立替、公衆食堂経営、

no.	バラック所在地	棟数	世帯数	収容人員
1	明治神宮外苑	52	2,021	6,417
2	芝公園	73	1,641	5,822
3	芝離宮＋天幕	28	1,434	4,972
4	日比谷公園	148	1,719	5,419
5	九段坂上	70	599	2,370
6	上野竹ノ台	126	1,329	4,862
7	上野池之端	106	1,031	4,345
8	深川古石場（天幕）	92	85	311
9	市管理バラック（計）	518	8,898	31,795
	合計	1,213	18,757	66,313

表1　東京市社会局直営＋市管理バラック（1924年4月1日）
東京市『震災要救護者収容所概要』昭和2年

住宅紹介など、震災によって突如大量に増加した生活困難な被災者への救護事務が中心となったとされる。

東京市社会局の震災後の事業としてもっとも重きを成したのは、集団バラックの管理を託された後、入居者のバラックからの退去と、その後の住居獲得への補助事業であった。東京市内のバラックは公私を含め一一一カ所、一二九六棟、室数二四四五〇室であったが、このうち一八棟は諸社会事業団体の管理に委ね、その他はすべて社会局保護課が管理した（表1「東京市社会局直営＋市管理バラック」）。社会局直営バラックの所在地は、地震発生直後から襲ってくる火災を避けて一時は一〇〇万以上の人々が空地を求めて避難した広大な場所であり、そこに建てられた集団バラック自体が規模の大きいものであったから、その管理・運営には配慮を要するものが多かった。

集団バラックは一戸当たり三坪（約一〇㎡）、間仕切りのあるもの、ないものを含め一棟二〇戸〜四〇戸、天幕も代用された。バラックからの撤退が行政上の課題となり始める以前の一九二四年五月までは、水道、電灯、糞尿汲み取り代などは公費負担であったが、六月以降はバラックの世帯主が負担することとされ、入居者の状況に合わせて五〇銭から一円五〇銭が徴集された。これは、バラックから入居者を撤退させるための一つの方策でもあった。一九二四年六月以降、バラック撤退が本格的に開始された。

なお、『年報』では一切触れていないが、社会事業家にして牧師の生江《なまえ》孝之《たかゆき》（一八六七〜一九五七）は大規模な日比谷公園の二五〇〇世帯が入居する公私の集団バラックの周辺には露店が七〇〇軒も立ち並び、そのうち飲食店が四四二軒、その三分の二が酒類の販売であるとして問題視し、当局の統制が効かずそのまま据え置かれた状態だとしている。しかし、そうした場が、親族や家を失った人々の救いの場でもあったからこそ、なかなか撤廃出来なかったのである（生江孝之「バラック問題」『大正大震火災誌』改造社、一九二四）。

†集団バラックから追われた人々

バラック撤退の経過について、つぎのように述べられている。東京市が管理するバラックは先に述べた通り、一二九六棟、収容人員七万八〇〇〇人であったが、借家を求めて集団バラックから退去する者などが増え、一九二四年四月頃にはバラック入居は、世帯数一万八七五三世帯、六万六三一三人に減じ、さらに半年後の一九二四年一〇月一日には一万四六一六世帯、五万四六二五人に減じた。この状況を踏まえ、行政はバラック撤退の斡旋に乗り出した（東京市社会局『罹災要救護者収容所概要』昭和二年）。

その経過は、以下のようであった。バラックから避難者を撤退させるために、その受け皿住宅の手当が必要だ。そこで、震災義捐金一〇〇〇万円で設立した同潤会及び府・市営の住宅竣工期を考慮して、三期に分け、第一期（一九二四年一〇月）明治神宮外苑バラック（六六〇世帯）ほか計二九五三世帯、第二期は日比谷公園バラック（一一〇九世帯）ほか計六六〇二世帯、第三期（一九二五年四月）芝離宮・天幕バラック（一二八世帯）ほか二二〇八世帯として、一九二五年六月三一日をもって撤退終了した。

さらに、社会局が要救助者とする、「病気などによる労働能力なき者」、「頼るべき親戚知己なき者」、「家賃の支払いに窮する者」などを一時収容するため、深川古石場《ふるいしば》に不用バラック取り壊し材料を以て収容所を建設し、四七八世帯、一七六四人を収容した。バラック撤退について相当の強硬策が採られたことは、バラック退去命令には行く先のない避難者が少なからずいたため、これに抵抗する動きも記録されている。

この件について、臨時震災救護事務の責任者であった内務省社会局長池田宏が東京市長中村是公《これきみ》に宛てた理由書で、復興事業を進めるために用地の明け渡しが必要であり、集団バラック居住者一万数千人が震災後二年を経過する時期に至っても、長く仮設避難所に留まることは「生活及思想を堕落せしむる」ものであり、「国家が多数国民に対して無償の居住を与ふるが如き政策は未だ何れの国に於ても採らざる所」であるとした（東京市社会局前掲書、三八〜四一頁）。国家は直接個人の資産を供与しないというこの原則は七〇年後の阪神・淡路大震災まで貫かれたことは記憶しておくべきことであろう。

では、集団バラックから追われた人々の行方はどうなったのだろうか。一九二四年一一月一日以降、第一〜三期までにバラックから撤退した人々の移転先は、同潤会本住宅一六〇世帯、同潤会仮住宅一一七八世帯、東京府営住宅二一九世帯、市営住宅八一六世帯、古石場（要救助者）四七五世帯の計二八四八世帯で、その他自発的撤退八九九二世帯を合わせても、一万一八四〇世帯に過ぎない。バラックに収容された一万八七五三世帯のうち、六〇％強の人々は移転の住居を得られたものの、残りの六九〇〇世帯ほどは住居が得られる状態にはなかったということになる（『年報』大正一四年）。

被災世帯のうちのバラック入居者に限っても、退去後にすべての人々が同潤会住宅あるいは公営住宅に入居できたわけではなかったことは以上の数値から明らかだ。社会局は、こうした

	入居者／住宅立地	本郷真砂町	古石場	月島	本村	合計（人）
no.	家賃（円）	30〜65	10〜21.5	9〜30	9〜10	
1	会社員・官吏・銀行員・教員・事務員・医師など	68	60	51	19	198
2	土木・建築・店員・電工・職工など	6	52	303	115	476
3	人夫・車力・露天業・船夫・古物商など	—	2	234	234	470
4	代書業・薬店・白米商・酒商・用品雑貨商・魚屋など	1	—	11	13	25
	計	75	114	599	381	1169

表2　東京市営住宅職業別入居者（貸付）の動向
『年報』昭和元年、表の数値は昭和2年3月31日現在

住宅難を踏まえて、住宅紹介や借家・貸間などの調査を踏まえ、対策を講じた。

†住宅困難者向けの社会局事業

そもそも震災前から都市化の波による住宅難は社会問題化し、住宅組合法（一九二一年、法律六六号）、同時期には借地法（同法律四九号）、借家法（同法律五〇号）などが交付され、震災前にすでに都市中下層にとって、住宅問題は焦眉の事柄ではあった。震災後は金融恐慌に震災恐慌が重なり、震災で家を失った多数の住宅困窮者が一挙に簇出《そうしゅつ》した。こうしたなかで、集団バラック退去者に向けた公営住宅への入居は重要な受け皿となった。東京市営住宅の場合には、バラック撤去後の一九二六年の段階では本郷真砂町《まさごちょう》（現文京区）、古石場（現江東区）、月島（京橋区）、本村町《ほんむらちょう》（現江東区）の市営住宅の入居者の職種がわかる（表2「東京市営住宅職業別

入居者の動向」)。ここに入居した人々が集団バラックからの退去者だとは断定できないが、極度の住宅難の最中、当時の市営住宅にどのような階層の人々が入居したのかはこの調査結果から推定できる。大学を出た知識階層の失業者も多く、住宅困窮者向けに建設された本郷真砂町の場合は、表2の家賃欄にみるように市営住宅中では高額ではあったが、施設も一般住宅並みに整えられ、申込者が多く空き家一戸に対して一〇倍の応募があると注記されている。入居者は会社員、官吏、教員、医師など高額の家賃が払える職種に就いている階層である。

古石場、本村町住宅はいずれも深川の海辺に位置する。本村町住宅は瓦斯会社に近く希望者が比較的少なかったというが、月島と同様、家賃は安く、社会局の職業分類では「自由労働」とする人夫、車力《しゃりき》などの入居者が多い。そもそも店舗用住宅の数が少ない商店主などの入居者は限られた。入居者はそれぞれの住宅が立地する地域との関連が深いが、市営住宅へ入居する住宅困窮者は必ずしも職工などの労働者に限らず、銀行員、官吏なども含まれ、仕事は得られても住宅を得ることは困難な状況であったことがわかる。

社会局は、借家・貸間紹介事業や住宅組合法に基づく住宅資金の公費貸付事務なども行ったが、震災で家を失った人々への住宅供給には十分な対応ができるものではなかった。

†帝都復興事業は成功したのか

社会局が担った帝都復興事業は、一九三〇年三月二六日の帝都復興祭を以て締め括られた。一九二九年一一月のニューヨーク株式市場の破綻、日本の不景気の増大、金解禁による財政緊縮など、経済的負の連鎖が工場労働者に限らず給料生活者を直撃し、社会局の業務は復興事業の終了後の労働者の失職対策などに向けられていく。

住宅問題については、区画整理の進行に伴い本建築が増加したが、一方では家賃の高騰も絡み、市内では空き家三万戸という逆転現象も生じた。不況のため家賃滞納者が続出して住宅管理にも支障を来し、遂に行政が率先して家賃値下げを断行した(『年報』昭和三年)。一定の経済的に余裕のある階層は、田園都市構想などの影響を受け、震災前後にいち早く東京郊外の文化住宅を求めるなど、震災後の東京市内の人口は減少した。この結果は、やがて東京郊外の五郡八二町村を包摂する「大東京」の成立となる。

帝都復興事業は新しい構想に基づいた社会的基盤の構築によって、確かに帝都を復興させた。しかし、以上みてきた群れをなす住宅困窮者の存在を考えれば果たして復興事業は成功したといえるだろうか。いずれにしても、帝都復興事業の影には、復興から取り残され、住む場所の確保もままならなかった民衆がいたことは確かである。

これは一〇〇年前の震災のことだったと片付けてよいものだろうか。

さらに詳しく知るための参考文献

オルテガ・イ・ガセット『大衆の反逆』（佐々木孝訳、岩波文庫、二〇二〇）……関東大震災と同時代の第一次世界大戦後の欧州の「大衆」を捉えた古典的名著。ここにいう「大衆」とは「財産のある一般人」で、労働者は含まれていない。著者の階級的立場は明らかだ。日本ではなぜ「他者としての大衆」論が生まれないのかを考えることも一興。

今和次郎『新版大東京案内』上下巻（ちくま学芸文庫、二〇〇一）……震災後、東京が復興し、「大東京」となった姿を実写する。「腰弁君」とは当時のサラリーマンのこと。著者ならではの皮肉を含めたコメントはさすが。

佐藤健二『社会調査史のリテラシー』（新曜社、二〇一一）……社会調査の学術的方法が確立された関東大震災時、社会調査とは何を読み取り、何を明らかにするのか、導き出される社会像は視点の違いによって異なることを教えてくれる社会学調査ガイドブック。

武村雅之『復興百年誌』（鹿島出版会、二〇一七）……地震学者による関東震災の地震学的解説から、復興後の姿を震災記念碑から読み解く総合的な関東大震災復興誌。

北原糸子『関東大震災の社会史』（朝日選書、二〇一一）……震災で地方へ逃れた避難民がどのくらいいたのか、彼らはいつ東京へ戻るのか、その動向が復興を左右すると考えた復興局は、各県に避難者調査を命じ、記録を残させた。各県に残るそれらの記録から、震災の避難者像を分析した。

第15講

政党政治論

奈良岡聰智

†大正時代における政党政治論

大正政変という劇的な形で幕を開けた大正時代は、政党政治が大いに発展した時期であった。前半には紆余曲折を経ながらもいくつかの政党内閣が生まれ、一九一八年に成立した「初の本格的政党内閣」原敬内閣が、政党政治の基盤を固めた。後半には、長らく衆議院第一党として君臨してきた立憲政友会（以下、政友会）に対抗する勢力として憲政会が成長し、昭和初期に展開する二大政党対立の流れが確定的となった。こうした中で男子普通選挙が実現し、政党政治はより広い国民の支持基盤に依拠することになった。

この間の政党政治の発展は、学問的・思想的・理論的にどのように基礎づけられ、正当化されたのであろうか。実はこの時期、政党政治という枠組みを正面から体系的に論じた書物は必ずしも多くはない。これは明治憲法体制を与件とする限り、ある程度やむを得ないことであった。明治憲法には議院内閣（政党内閣）に関する規定がなく、果たしてそれが許容されるのかどうかは不明であったが、日清戦争以降慣例的に政党が政権に参画するようになっていった。その延長線上で大正時代に政党政治が発展していったが、首相をはじめとする閣僚の選任は天皇大権の一部とされていたため、その是非を論じることは容易ではなかった。また、憲法は「不磨《ふま》の大典《たいてん》」とされていたため、憲法改正を伴う政治改革はほとんど実現不可能で、当時の政党政治論は憲法改正が行われないことを前提としていた点にも注意が必要である。

こうした中で、政党政治を支持するリベラルな研究者やジャーナリストは、自らの主張が社会で受容され、現実政治に影響を与える可能性を高めるため、様々な工夫を凝らした。吉野作造（東京帝国大学教授、政治学）があえて主権論を回避し、「民主主義」ではなく「民本主義」を唱えたのはその代表例である。吉野のものに限らず、大正時代の政党政治論は、天皇の位置づけなど重要な論点がぼかされているものが少なくなく、体系的著作よりも時事評論や普通選挙などの個別論点を考察したものの方がよく書かれた。それらを読み解く際には、執筆当時の政治状況や著者の置かれた立場を十分に理解することが不可欠となる。本講では、以上の諸点に留意しつつ、最も熱心に政党政治を論じ続けた一人である吉野に焦点を当てながら、大正時代（昭和に入るが、政党内閣が存続した一九三二年頃までを射程に入れる）の代表的な政党政治論とその遺産について考察・紹介していく。

†大正政変後の民本主義論

大正政変は、世論の力によって政権が倒れるという近代日本史上未曾有の事件であった。当時新聞・雑誌の多くは、第三次桂太郎内閣やその背後にいると見なされていた元老や陸軍を批判し、憲政擁護運動を支持した（山本四郎『大正政変の基礎的研究』御茶の水書房、一九七〇）。桂首相の後任に海軍軍人の山本権兵衛《ごんべえ》が就いたことは彼らの失望を招いたが、山本内閣は立憲政友会を与党とする事実上の政党内閣であり、軍部大臣現役武官制の撤廃、文官任用令《ぶんかんにんようれい》の改正など、政党内閣の基盤を強化したその施策は一定の評価を得た。次の第二次大隈重信内閣は、大隈の個人的人気により非政友会系勢力への期待感を高め、与党立憲同志会は総選挙で大勝を収めた。そのため、一九一六年に大隈首相が元老からの支持を失って退陣に追い込まれ、政党に基盤を置かない寺内正毅《まさたけ》内閣が成立すると、時計の針が逆転することへの危機感から、政党政治を擁護する言論が高まった。

吉野作造

吉野作造「憲政の本義を説いて其有終の美を済すの途を論ず」(『中央公論』一九一六年一月号)は、そうした中で発表された有名な論文である。この論文の中で吉野は、近代各国の憲法が共通の精神として立脚しているのが、デモクラシーすなわち「民本主義」にほかならないと説いた。その上で、「民本主義」の精神に「有終の美」を飾らせるためには、普通選挙制の導入、政党内閣制の確立と二大政党による政権交代が必要だとして、元老が官僚内閣を組織する「少数政治」や「挙国一致内閣」の構想を厳しく批判した。吉野は、憲法の柔軟な運用を通じて、統治の主体を民衆に移行させていくことを構想していたのであった。

吉野以外に政党内閣制擁護の論陣を張った代表的論者の一人として、佐々木惣一《そういち》(京都帝国大学教授、憲法・行政法)がいる。佐々木は、『大阪朝日新聞』一九一六年一月一日付で連載「立憲非立憲」を開始し、それをまとめた著書『立憲非立憲』を一八年に刊行した。同書は、西洋人は否定的見解を持ち、日本国内においても悲観論があるが、日本には立憲主義を可能にする素地が充分にあると主張していた。佐々木は、日本で立憲政治が発達すれば、天皇は多数党から国務大臣を任用するようになり、上院(貴族院)がある程度まで下院(衆議院)に譲歩するのが立憲主義に適うなどと論じた。そしてそのための鍵を国民の政府や議会に対する「責任」に求め、末尾を「事は全く我が国民各自の覚悟に繋《つなが》って居るのである」と結んでいる。

このように政党政治を擁護した主張は、明治憲法下においてデモクラシーの発展を主張したものとして今日高く評価される傾向があるが、同時代に左右からの批判にさらされていたことにも注意する必要がある。たとえば吉野の民本主義論は、社会主義者である山川均からは、「民主主義」の本旨を徹底せず、現行の体制と妥協した「民本主義」の段階に止まったとして攻撃されていた。右派の代表的論客としては、上杉慎吉《しんきち》（東京帝国大学教授、憲法）が挙げられる。上杉は、人民の利益の実現を目指して主権を行使するという、歴代の天皇が継承してきた方針こそが「民本主義」であるとして、吉野とはまったく異なる「民本主義」論を展開していた。明治末期に天皇主権説を主張して、同僚の美濃部達吉（東京帝国大学教授、憲法）らとの間で天皇機関説論争を起こした上杉は、大正期に入ってからも、著書『議会政党及政府』（一九一七）、『国体精華乃発揚』（一九一九）などを通して、国体の重要性を説き、デモクラシーや政党政治への批判的見解を提示し続けた（長尾龍一『日本憲法思想史』講談社学術文庫、一九九六）。

†第一次世界大戦後の普通選挙論

一九一八年、原敬内閣が成立した。政友会を与党とする「初の本格的政党内閣」の誕生は概して歓迎されたが、翌年に原内閣が納税資格要件の緩和（直接国税一〇円から三円へ）による選挙権拡張を実行し、当時急速に拡がりつつあった普通選挙論を否定すると、同内閣に対する不満の声も強くなっていった。この間吉野は普通選挙の実現に期待を寄せ、同年に著書『普通選挙論』を発表した（清水唯一朗「吉野作造と大正の公論空間」『近代日本研究』二九巻、二〇一三）。吉野は同書で選挙権の理論的根拠を考察した上で、立憲政治のもとでは普通選挙が行われなければならないと主張し、普通選挙に対する慎重論や漸進論を批判した。同書は、西洋諸国の選挙制度や選挙区制などについても考察しており、選挙に関する学術書としても優れたものであった。

当時普通選挙の実現を主張した著作としては、関和知《せきわち》（憲政会代議士、プリンストン大学でウッドロウ・ウィルソンの指導を受けた）『普通選挙』（一九二〇）、永井柳太郎（早稲田大学教授、憲政会代議士）編『識者の見たる普通選挙』（一九二一）などもあった。この時期学界やジャーナリズムでも普通選挙論が急速に広まり、新聞・雑誌はおおむね普通選挙を支持した（松尾尊兊『普通選挙制度成立史の研究』岩波書店、一九八九）。

天皇機関説を唱えた美濃部達吉や社会主義者の安部磯雄（早稲田大学教授）が普通選挙論者だったことは容易に想像ができるところであるが（美濃部達吉「普通選挙論」永井柳太郎編『識者の見たる普通選挙』一九二一／安部磯雄『普通選挙と無産政党』一九二五）、興味深いことに、天皇主権説を唱えていた上杉慎吉や佐藤丑次郎《うしじろう》（京都帝国大学教授から東北帝国大学教授、憲法）、山県有朋など元老に近かった徳富蘇峰（国民新聞社主）なども普通選挙に賛成であった（上杉慎吉『普通選挙の精神』一九二五／佐藤丑次郎『代議士と選挙』一九二〇／有山輝雄「大正期国民新聞と「民衆化」」『コミュニケーション紀要』五号、一九八八）。根拠づけの仕方は異なるものの、普通選挙論が広汎に支持されたことが、一九二四年の第二次護憲運動と翌年の普通選挙法成立につながったと言える。

普通選挙法では、中選挙区制が導入されている。当時比例代表制は世界的に流行し、合理的・民主的選挙制度だと見なされる風潮があり、中選挙区制導入に際しては、それが従来の小選挙区制に比して比例代表の意味合いを持つことも意識されていたようである。比例代表制については、森口繁治《しげはる》（京都帝国大学教授、憲法学）『比例代表法の研究』（一九二五）が代表的著作で、江《え》木翼《ぎたすく》（憲政会所属貴族院議員）『比例代表の話』（一九二四）、大日本文明協会編『比例代表制度論』（一九二五）、藤澤利喜太郎《りきたろう》（東京帝国大学名誉教授、数学）『選挙法の改正と比例代表』（一九三二）などが刊行された。美濃部達吉は元々小選挙区制論者であったが、一九二〇年代以降比例代表制を支持する姿勢に転じた。他方で、吉野作造は小選挙区制を支持し、小党分立を招くなどの理由から、比例代表制導入には反対であった（奈良岡聰智「一九二五年中選挙区制導入の背景」『年報政治学』六〇巻一号、二〇〇九）。

選挙制度や選挙運動の実際については、坂千《さかち》秋《あき》（内務官僚）が第一人者で、彼の手による坂千秋・三宅正太郎『普通選挙法要綱』（一九二五）、坂千秋『選挙法の理論と運用』（同年）、同『比例代表の概念とその技術』（一九三二）などの著作が刊行された。

一九二〇年代には貴族院改革のムードも高まっており、普通選挙法成立と同時に初めての貴族院改革も実現していた。改革前に発表された貴族院改革論としては、江木千之《かずゆき》（貴族院議員）

『上院改革私見』（一九二二）、徳川義親《よしちか》（貴族院議員）『貴族院改造私見概要』（一九二四）、報知新聞出版部発行『貴族院改革論集』（一九二四）などがあり、多額納税者議員の廃止、公選議員の増加などが提起されていたが、その多くは採用されず、実際の改革は微温的なものに止まった（定員の改訂、帝国学士院議員の創設など）。その後も貴族院改革を求める声は強くなり、近衛文麿（貴族院議員）は貴衆両院の衝突を避けるため、貴族院は衆議院の多数党およびそれを基礎とする政府に協力するのを常道とすべしと主張した（近衛文麿『貴族院改革と現行制度の運用』一九二七）。

吉野は近衛の貴族院論を評価し、両院関係がそのように進むのを期待していた（吉野作造「近衛公の貴族院論を読む」一九二六〔『吉野作造選集4』岩波書店、一九九六所収〕／手嶋泰伸「吉野作造の体制改革論の特徴――貴族院・枢密院改革論の変遷」『吉野作造研究』八号、二〇一二）。一九二〇年代後半には、野間五造《いつぞう》（元憲政本党代議士）『立法一元論――貴族院無用論』上下巻（一九二六～二七）、野《の》依秀一《よりひでいち》（ジャーナリスト）『貴族院廃止論』（一九二九）のように貴族院廃止を求める声も強くなった。しかし結局のところ、その後貴族院改革は一度も行われることはなかった。

†政党政治論の諸相

日本では明治末期から女性参政権を求める運動が活発になり、平塚らいてうの青鞜社結成（一九一一年）を経て、平塚と市川房枝、奥むめおらによる新婦人協会（一九一九年）、ガントレット恒子、久布白落実《くぶしろおちみ》らによる日本婦人参政権協会（一九二一年）などが女性参政権運動（当時の言葉では婦人参政権運動）を展開した。この運動は、一九二二年に女性の集会の自由を阻んでいた治安警察法改正を実現して一定の成果を挙げ、一九二四年には婦人参政権獲得期成同盟会が結成された。翌年の普通選挙法で女性参政権が認められなかったことは、運動関係者を失望させたが、男子普通選挙の次は女性参政権の実現が重要な政治目標だとする声が高まるきっかけにもなった。「普選」ならぬ「婦選」という言葉が使われ、「普選から婦選へ」がスローガンとなったこと、雑誌『婦選』が一九二七年に刊行されたことからも、当時の雰囲気がわかる。

この頃女性参政権運動関係者の声を紹介した本として、久布白落実『公娼廃止より婦人参政権まで』（一九二四）、文明協会編『婦選問題と婦人の要求』（一九二九）、朝日新聞政治経済部編『婦人参政権の話』（一九三〇）が、欧米諸国の動向を分析した翻訳書としては、ジョゼフ・バルテルミイ『婦人参政権の理論と実際』（星野辰雄訳、一九三二）が刊行されている。これ以外にも、憲法学者による森口繁治『婦人参政権論』（一九二七）、選挙法の権威による坂千秋『比選と婦選』（一九二八）が発表されていることが注目される。いずれも諸外国の女性参政権をめぐる動向や制度的諸問題を検討したもので、女性の「合理的解放」という観点から、参政権付与に前向きな結論を下している。他方で女性参政権は時期尚早という声は依然強かった。女性問題に強い関心を寄せていた吉野でさえも、まずは女性の社会進出と実力の証明が先決で、女性参政権は人格者を議会に送り続ければ、早晩必ず実現するはずだという立場であった（高橋央「吉野作造の女性論」『早稲田大学大学院文学研究科紀要第4分冊』五五輯、二〇一〇）。このように幅広い社会的合意が形成されなかったため、二大政党は女性参政権実現に慎重な姿勢を崩さず、浜口《はまぐち》雄幸《おさち》内閣が提出した女性公民権法案（婦人公民権法案）でさえも審議未了に終わった。

第一次世界大戦後は、大逆事件以来の社会主義の「冬の時代」が終わりを告げ、社会主義者による発信が活発になった時期でもあった。また、普通選挙法が成立すると、議会への無産政党の進出が現実的政治課題となり、山川均『無産階級の政党』（一九二四）、同『単一無産政党論』（一九三〇）、麻生久《あそうひさし》『無産政党の理論と実際』（一九二五）、前掲の安部磯雄『普通選挙と無産政党』などの著作が発表された。一九二八年に実施された第一回普通選挙では、無産政党が八議席を獲得するという健闘を見せた。

普通選挙法成立以降、吉野も無産政党に期待を寄せるようになり、無産政党や学生運動に関する論文を多数発表した。それらの論文は、著書『無産政党の辿るべき道』（一九二七）、『日本無産政党論』（一九二九）などとしてまとめられた。吉野は実際に無産政党間の協力にも力を貸しており、これらの著作と相俟って、無産政党の発展に貢献した。ただし、この時期吉野が現実政治への失望を深め、既成政党への期待感を失っていったのは、政党政治の発展にとって不幸な面もあったと言わざるを得ない。なお無産政党については、吉野の弟子蠟山政道《ろうやままさみち》（東京帝国大学教授）も『無産政党論』（一九三〇）を編纂刊行している。

　一九二〇年代は政党政治の全盛期であったが、政党政治を制度面から体系的に論じた書物は、憲法学者による森口繁治『立憲主義と議会政治』（一九二四）、議会官僚による田口弼一《すけいち》（衆議院書記官長）『帝国議会の話』（一九三一）、ジャーナリストによる緒方竹虎（東京朝日新聞記者）『議会の話』（一九二九）、山浦貫一（新愛知記者）『議会政治と政党』（一九三〇）ぐらいで、それほど多く刊行されたわけではない。政党論となるとより少なく、考察対象を無産政党に絞らず、幅広く政党を論じたものは、永井亨《とおる》（協調会常務理事）『日本政党論』（一九二八）、西野雄治（法学士）『政党とは何ぞや』（一九二六）、前田蓮山《れんざん》（中央新聞記者）『政党哲学』（一九二五）、野村秀雄（東京朝日新聞政治部員）『政党の話』（一九三〇）が目につく程度である。このように体系的な著作が少なかった背景には、既述したとおり、明治憲法体制下で政党政治を論じることの困難があったと見るべきであろう。

　なお、大正期には海外の政党（政治）論の翻訳出版もいくつか行われており、フリードリヒ・パウルゼン『政党と代議制』（後藤新平訳、一九一二）、ロベルト・ミヘルス『政党社会学』（森孝三訳、一九一三）、同『政党心理の研究』（西村二郎訳述、一九二五）、エフ・ラフェティ『政党政治の将来』（小寺謙吉訳、一九二二）、レスター・ウォード『政党に関する社会学的研究』（江刺喜四郎訳、一九二四）、ラムゼー・マクドナルド『議会と革命』（小林輝次訳、一九二四）などの著作が確認できる。

†政党政治史研究と人物論

吉野は一九二四年に東京帝国大学教授の職を辞し、東京朝日新聞社に迎えられた（留学生支援などのための費用捻出が主な目的だったと言われる）。しかし、政治評論がもとで同年中に退社を余儀なくされたため、講師として同大学に復帰した。その後も吉野は、政治評論を発表し続ける一方で、明治文化研究会を組織し、一次史料の発掘や明治史研究に取り組んだ。研究会の名は「明治文化」とされていたが、吉野の主たる関心は明治憲法体制をその原点にまで遡って検証することにあった。同会には尾佐竹猛《おさたけたけき》、宮武外骨《みやたけがいこつ》ら多数の研究者が集い、その研究成果を一九二八年以降『明治文化全集』として刊行した。政治史学者である吉野にとって、明治憲政史の実証研究は本務であるのみならず、将来の日本政治の方向を探るために必要な基礎作業だと捉えられていたはずである。

一九二〇年代には、明治以来の憲政史や政党政治史の編纂・刊行が他にも行われた。『大日本憲政史』全一〇巻（一九二七〜二八）は、大津淳一郎（第一議会以来代議士を務め、当時憲政会所属の貴族院議員）が幕末維新期以来の憲政史をまとめた大著である。大津は水戸藩出身で、同藩で編纂された『大日本史』に倣い、憲政創始以来の歴史を精確に描くことを目指していた。同書は、明治憲法制定に至った歴史や議会・政党にかかわる基本的事実を、極力価値判断を排して整理した著作で、当時としては画期的なものであった。この他、林田亀太郎（元衆議院書記官長）が著した『明治大正政界側面史』上巻（一九二六）、『日本政党史』上下巻（一九二七）、伊藤痴遊《ちゆう》（講釈師、ジャーナリスト）が政界の裏面を語った『隠れたる事実 明治裏面史』正編・続編（一九二四・二八）など、議会史や政党史の諸側面を描いた著作も刊行された。また、二大政党による党史編纂も行われ、『立憲政友会史』一～四巻（伊藤総裁時代、西園寺総裁時代、原総裁時代、一九二四～二六）、『憲政会史』（一九二六）が刊行されたほか、『大隈侯八十五年史』全三巻（一九二六）などの伝記、『尾崎行雄全集』（一九二六）などの全集も発刊された。

　これらの著作は、客観性を意識した歴史書ないし資料集的性格を持つ著作であるが、この時期には政論的性格を持つ伝記や人物評伝も多数刊行された。たとえば政党内閣期には、元老西園寺公望の評伝が、竹越与三郎（元政友会代議士、ジャーナリスト）、白柳秀湖《しらやなぎしゅうこ》（小説家、歴史家）らによって発表されている（白柳秀湖『西園寺公望伝』一九二九／竹越与三郎『陶庵公《とうあんこう》――西園寺公望公伝』一九三〇）。政党政治が動揺し、時に元老西園寺の政治指導にも批判が寄せられる中で、彼の自由主義的政治理念や元老としての政治指導を肯定的に評価した同書は、既存の政党政治を擁護する意味合いを必然的に持った。また、同時代の政治家、官僚や軍人の月旦を試みた山浦貫一『政局を繞《めぐ》る人々』（一九二六）、馬場恒吾《つねご》（ジャーナリスト）『現代人物評論』（一九三〇）、同『政界人物風景』（一九三一）なども、人物評論の形を借りた政論ないし同時代史（政党政治史）として読むこともでき、明らかに彼らの政党政治を擁護する考え方が反映されている。当時の政党政治論の全体像を理解するためには、こうした著作をも視野に入れて考察する必要があるだろう。

†政党政治論の遺産

一九三二年、五・一五事件によって政党内閣時代は終焉を迎えた。皮肉なことに、政党内閣時代が終わって以降の方が、議会改革論が盛んに議論・検討されるようになった面がある（村瀬信一『帝国議会改革論』吉川弘文館、一九九七）。こうした潮流は学界やジャーナリズムにも影響しており、一九三〇年代には従来よりも体系的な政党政治論が登場している。前田蓮山『政党政治の科学的検討』（一九三六）、蠟山政道『議会・政党・選挙』（一九三五）は、この時期に書かれた代表的著作である。しかし、軍部が台頭し、議会や政党が力を失う中で、こうした議論が現実に影響を及ぼす余地はなく、政党政治の再構築は、第二次世界大戦後を待たなければならなかった。

戦後、大正期に活躍した美濃部達吉や佐々木惣一は憲法改正に関わり、政党政治についても再び積極的発言を行った。また、一九四六年には『吉野作造博士民主主義論集』の刊行が開始され、吉野の言論活動に再び光が当てられた。こうして大正期の政党政治論の遺産は戦後にも継承され、戦後民主主義の一つの土台となるのである。

さらに詳しく知るための参考文献

岡義武編『吉野作造評論集』(岩波文庫、一九七五)……吉野の重要な政治評論を集めたもので、彼の民本主義や政治に対する基本姿勢を理解することができる。岡義武氏による詳細な解説も大変有用。吉野の評論をさらに読みたければ、三谷太一郎責任編集『日本の名著　吉野作造』(中央公論社、一九八四)、『吉野作造選集』全一六冊(岩波書店、一九九五〜九七)も読むと良い。いずれも解題が優れている。

吉野作造『憲政の本義――吉野作造デモクラシー論集』(中公文庫、二〇一六)……吉野が一九一六年に発表した「憲政の本義を説いて其有終の美を済すの途を論ず」を読みやすい形で収録すると共に、関連する論文や蠟山政道の吉野評を掲載。苅部直氏による解説も秀逸。

吉野作造『普通選挙論』(万朶書房、一九一九)※……大正時代には普通選挙の実現を通して政党政治の確立を訴えた著作が多いが、本書はその代表格と言えるものの一つ。吉野は普通選挙について様々なところで書いているが、そのうちの一つである永井柳太郎編『識者の見たる普通選挙』(自由活版所、一九二一)には多数の論客が寄稿しており、主張を比較するのに便利。

佐々木惣一『立憲非立憲』(講談社学術文庫、二〇一六)……佐々木惣一が立憲主義の意義を説いた一九一八年の著書を、関連する論文とともに復刻したもの。石川健治氏による解説が、本書成立の背景を深く分析している。

『貴族院改革論集』(報知新聞社出版部、一九二四)※……貴族院改革に関する様々な意見を収録した著作。多数の論客が寄稿しており、主張を比較するのに便利。

坂千秋『比選と婦選』(帝国地方行政学会、一九二八)※……導入が近いと考えられていた比例代表制と女性参政権（婦人参政権）について、どのような問題が存在するかを検討した著作。著者は内務官僚で、選挙法の権威。問答形式で様々な問題が検討されており、当時の論点がよくわかる。

※は国立国会図書館デジタルコレクションで閲覧可能。

編・執筆者紹介

山口輝臣（やまぐち・てるおみ）【編者】
一九七〇年生まれ。東京大学大学院総合文化研究科教授。東京大学大学院博士課程修了。専門は日本近代史。著書『明治国家と宗教』（東京大学出版会）、『明治神宮の出現』（吉川弘文館）、『天皇の歴史9　天皇と宗教』（共著、講談社学術文庫）、『はじめての明治史』（編著、ちくまプリマー新書）など。

福家崇洋（ふけ・たかひろ）【編者】
一九七七年生まれ。京都大学人文科学研究所准教授。京都大学大学院人間・環境学研究科博士後期課程研究指導認定退学。専門は近現代日本の社会運動史、思想史。著書『戦間期日本の社会思想』（人文書院）、『日本ファシズム論争』（河出書房新社）、『満川亀太郎』（ミネルヴァ書房）など。

＊

小山俊樹（こやま・としき）【第1講】
一九七六年生まれ。帝京大学文学部史学科教授。京都大学大学院人間・環境学研究科博士後期課程修了。博士（人間・環境学）。専門は日本近現代政治史。著書『五・一五事件――海軍青年将校たちの「昭和維新」』（中公新書）、『評伝森恪――日中対立の焦点』（ウェッジ）、『憲政常道と政党政治――近代日本二大政党制の構想と挫折』（思文閣出版）など。

住友陽文（すみとも・あきふみ）【第2講】
一九六三年生まれ。大阪公立大学大学院現代システム科学研究科教授。関西大学大学院文学研究科博士後期課程単位取得退学。博士（人間科学）。専門は日本近現代史。著書『皇国日本のデモクラシー――個人創造の思想史』（有志舎）、『立憲主義の「危機」とは何か』（共編著、すずさわ書店）、『核の世紀――日本原子力開発史』（共編著、東京堂出版）など。

平野敬和（ひらの・ゆきかず）【第3講】
一九七三年生まれ。岩手大学教学マネジメントセンター准教授。大阪大学大学院文学研究科博士後期課程修了。博士（文学）。専門は日本政治思想史。著書『丸山眞男と橋川文三――「戦後思想」への問い』（教育評論社）、『近代日本の対外認識Ⅰ』（共著、彩流社）、『「戦後民主主義」の歴史的研究』（共著、法律文化社）など。

松井健人（まつい・けんと）【第4講】
一九九二年生まれ。日本学術振興会特別研究員PD。東京大学大学院教育学研究科博士課程修了。博士（教育学）。専門は図書館情報学・教育学、日独教養思想史。論文「ヴァイマル共和国における「俗悪図書から青少年を保護する法律」（一九二六）の審議過程の再検討」（『日本の教育史学』第六四巻）、「ドイツ民衆図書館における路線論争――開架制と閉架制を巡る対立」（『図書館界』第七一巻第四号）など。

黒川伊織（くろかわ・いおり）【第5講】
一九七四年生まれ。神戸大学大学院国際文化学研究科協力研究員。神戸大学大学院総合人間科学研究科博士後期課程修了。博士（学術）。専門は社会運動史、日本思想史。著書『帝国に抗する社会運動――第一次日本共産党の思想と運動』（有志舎）、『戦争・革命の東アジアと日本のコミュニスト――1920―1970年』（有志舎）など。

梅森直之（うめもり・なおゆき）【第6講】
一九六二年生まれ。早稲田大学政治経済学術院教授。シカゴ大学政治学部Ph.D。専門は日本政治思想史。著書『初期社会主義の地形学――大杉栄とその時代』（有志舎）、『ベネディクト・アンダーソン　グローバリゼーションを語る』（編著、光文社）、『和解学の試み――記憶・感情・価値』（共著、明石書店）など。

萩原　稔（はぎはら・みのる）【第7講】
一九七四年生まれ。大東文化大学法学部教授。同志社大学大学院法学研究科博士課程修了。博士（政治学）。専門は日本政治思想史。著書『北一輝の「革命」と「アジア」』（ミネルヴァ書房）、『近代日本の対外認識Ⅰ・Ⅱ』（共編著、彩流社）、『大正・昭和期の日本政治と国際秩序――転換期における「未発の可能性」をめぐって』（共編著、思文閣出版）など。

小野容照（おの・やすてる）【第8講】
一九八二年生まれ。九州大学大学院人文科学研究院准教授。京都大学大学院文学研究科博士後期課程修了。博士（文学）。専門は朝鮮近代史。著書『朝鮮独立運動と東アジア　1910―1925』（思文閣出版）、『帝国日本と朝鮮野球――憧憬とナショナリズムの隘路』（中央公論新社）、『韓国「建国」の起源を探る――三・一独立運動とナショナリズムの変遷』（慶應義塾大学出版会）など。

望月詩史（もちづき・しふみ）【第9講】
一九八二年生まれ。同志社大学法学部准教授。同志社大学大学院法学研究科政治学専攻博士後期課程修了。博士（政治学）。専門は近現代日本政治思想史。著書『石橋湛山の〈問い〉――日本の針路をめぐって』（法律文化社）、『戦後民主主義」の歴史的研究』（共編著、法律文化社）、『ハンドブック近代日本政治思想史――幕末から昭和まで』（共編著、ミネルヴァ書房）など。

小嶋　翔（こじま・しょう）【第10講】
一九八四年生まれ。吉野作造記念館主任研究員、東北大学史料館協力研究員。東北大学大学院文学研究科博士後期課程修了。博士（文学）。専門は近代日本思想史、社会思想史。著書『近代日本における私生活と政治　与謝野晶子と平塚らいてう――自己探求の思想』（東北大学出版会）、論文「「社会主義者」としての吉野作造」（『日本史研究』六八七号）など。

和崎光太郎（わさき・こうたろう）【第11講】
一九七七年生まれ。東京福祉大学保育児童学部准教授。京都大学大学院人間・環境学研究科博士後期課程研究指導認定退学。博士（人間・環境学）。専門は近現代日本の教育史、学校資料論。著書『明治の〈青年〉――立志・修養・煩悶』（ミネルヴァ書房）、『男女共学の成立――受容の多様性とジェンダー』（共著、六花出版）、『学校資料の未来――地域資料としての保存と活用』（共著、岩田書院）など。

永岡 崇（ながおか・たかし）【第12講】
一九八一年生まれ。駒澤大学総合教育研究部講師。大阪大学大学院文学研究科博士後期課程単位取得退学。博士（文学）。専門は近代宗教史。著書『新宗教と総力戦――教祖以後を生きる』（名古屋大学出版会）、『宗教文化は誰のものか――大本弾圧事件と戦後日本』（名古屋大学出版会）、『親密なる帝国――朝鮮と日本の協力、そして植民地近代性』（監訳書、ナヨン・エィミー・クォン著、人文書院）など。

佐々木政文（ささき・まさや）【第13講】
一九八八年生まれ。京都先端科学大学人文学部専任講師。東京大学大学院人文社会系研究科博士課程修了。博士（文学）。専門は日本近代社会思想史。論文「一九一〇年代奈良県における民衆教化政策と被差別部落」（『史学雑誌』一二四―四）、「昭和初期司法省の転向誘発政策と知的情報統制」（『歴史学研究』九六五）、「一九一〇年代の貯蓄奨励運動と被差別部落」（『部落問題研究』二三八）など。

北原糸子（きたはら・いとこ）【第14講】
一九三九年生まれ。立命館大学歴史都市防災研究所客員研究員。東京教育大学大学院日本史専攻修士課程修了。専門は災害社会史研究。著書『日本震災史』（ちくま新書）、『地震の社会史――安政大地震と民衆』（吉川弘文館）、『関東大震災の社会史』（朝日選書）、『震災と死者――東日本大震災・関東大震災・濃尾地震』（筑摩選書）、『日本歴史災害事典』（共編著、吉川弘文館）など。

奈良岡聰智（ならおか・そうち）【第15講】
一九七五年生まれ。京都大学公共政策大学院教授。京都大学大学院法学研究科博士後期課程修了。博士（法学）。専門は日本政治外交史。著書『加藤高明と政党政治』（山川出版社）、『「八月の砲声」を聞いた日本人』（千倉書房）、『対華二十一ヵ条要求とは何だったのか』（名古屋大学出版会）など。

水谷 悟（みずたに・さとる）【コラム1】
一九七三年生まれ。静岡文化芸術大学文化政策学部教授。筑波大学大学院博士課程歴史・人類学研究科単位取得退学。

博士（文学）。専門は日本近現代史（思想史・メディア史）。著書『雑誌『第三帝国』の思想運動――茅原華山と大正地方青年』（ぺりかん社）、論文「デモクラシーからファッショへ――室伏高信の官僚論」（中野目徹編『官僚制の思想史』吉川弘文館）、「雑誌『種蒔く人』の読者層――投書欄の分析を手がかりに」（『近代史料研究』二一）など。

武藤秀太郎（むとう・しゅうたろう）【コラム2】
一九七四年生まれ。新潟大学経済科学部教授。総合研究大学院大学文化科学研究科博士課程修了。博士（学術）。専門は社会思想史。著書『近代日本の社会科学と東アジア』（藤原書店）、『福田徳三著作集』第一五・一六巻（編著、信山社）、『「抗日」中国の起源――五四運動と日本』（筑摩選書）、『大正デモクラットの精神史――東アジアにおける「知識人」の誕生』（慶應義塾大学出版会）など。

渡辺恭彦（わたなべ・やすひこ）【コラム3】
一九八三年生まれ。京都大学大学文書館助教。京都大学大学院人間・環境学研究科博士後期課程修了。博士（人間・環境学）。専門は思想史。著書『廣松渉の思想――内在のダイナミズム』（みすず書房）など。

富田　武（とみた・たけし）【コラム4】
一九四五年生まれ。成蹊大学名誉教授。東京大学大学院社会学研究科博士課程満期退学。専門はロシア・ソ連政治史、日ソ関係史。著書『歴史としての東大闘争――ぼくたちが闘ったわけ』『ものがたり戦後史――「歴史総合」入門講義』（以上、ちくま新書）、『スターリニズムの統治構造――1930年代ソ連の政策決定と国民統合』（岩波書店）、『戦間期の日ソ関係――1917―1937』（岩波書店）、『シベリア抑留』（中公新書）など。

立本紘之（たてもと・ひろゆき）【コラム5】
一九七九年生まれ。法政大学大原社会問題研究所兼任研究員・国立公文書館調査員。東京大学大学院人文社会系研究科博士課程修了。博士（文学）。専門は近現代日本の社会運動史、思想史。著書『転形期芸術運動の道標――戦後日本共産党の源流としての戦前期プロレタリア文化運動』（晃洋書房）、論文「戦前期日本における「防共」概念の社会的意義と後景思潮」（榎一江編『戦時期の労働と生活』法政大学出版局）、「社会民衆党・社会大衆党の無産者芸術・

文化へのまなざし」(『大原社会問題研究所雑誌』七四〇号)など。

伊東久智(いとう・ひさのり)【コラム6】
一九七八年生まれ。千葉大学大学院人文科学研究院助教。早稲田大学大学院文学研究科史学(日本史)専攻博士後期課程単位取得退学。博士(文学)。専門は日本近代史。著書『「院外青年」運動の研究——日露戦後〜第一次大戦期における若者と政治との関係史』(晃洋書房)、論文「近代日本の大衆芸能とジェンダー・セクシュアリティ——世紀転換期の娘義太夫と「堂摺連」をめぐって」(『歴史学研究』一〇一六号)など。

平井健介(ひらい・けんすけ)【コラム7】
一九八〇年生まれ。甲南大学経済学部教授。慶應義塾大学大学院経済学研究科後期博士課程単位取得退学。博士(経済学)。専門は日本植民地経済史、近代アジア経済史。著書『砂糖の帝国——日本植民地とアジア市場』(東京大学出版会)、『ハンドブック日本経済史——徳川期から安定成長期まで』(共編著、ミネルヴァ書房)など。

酒井一臣(さかい・かずおみ)【コラム8】
一九七三年生まれ。東京女子大学現代教養学部教授。博士(文学・大阪大学)。専門は日本外交史。著書『帝国日本の外交と民主主義』(吉川弘文館)、『はじめて学ぶ日本外交史』(昭和堂)など。

藤原辰史(ふじはら・たつし)【コラム9】
一九七六年生まれ。京都大学人文科学研究所准教授。京都大学大学院人間・環境学研究科博士課程中退。博士(人間・環境学)。専門は農業思想史・農業技術史。著書『ナチスのキッチン 決定版』(共和国)、『分解の哲学』(青土社)、『ナチス・ドイツの有機農業』(柏書房)、『トラクターの世界史』(中公新書)、『戦争と農業』(集英社インターナショナル新書)、『縁食論——孤食と共食のあいだ』(ミシマ社)、『農の原理の史的研究——「農学栄えて農業亡ぶ」再考』(創元社)など。

新倉貴仁(にいくら・たかひと)【コラム10】

一九七八年生まれ。成城大学文芸学部准教授。東京大学大学院情報学環・学際情報学府修了。博士（社会情報学）。専門は文化社会学、メディア論。著書『「能率」の共同体――近代日本のミドルクラスとナショナリズム』（岩波書店）、『技術と文化のメディア論』（共編著、ナカニシヤ出版）、『山の手「成城」の社会史』（編著、青弓社）など。

杉本弘幸（すぎもと・ひろゆき）【コラム11】
一九七五年生まれ。大阪大学大学院文学研究科博士後期課程修了。博士（文学）。専門は日本近現代史。京都府立京都学・歴彩館研究員、京都工芸繊維大学・佛教大学・立命館大学・神戸女学院大学講師。著書『近代日本の都市社会政策とマイノリティ』（思文閣出版）、『재일조선인단체사전（在日朝鮮人団体事典）』（共著、民族問題研究所〔韓国〕）、『京都を学ぶ【伏見編】』（共著、ナカニシヤ出版）など。

人名索引

あ行

か行

さ行

た行

な行

は行

ま行

や行

ら行

わ行

ちくま新書
1673

思想史《しそうし》講義《こうぎ》【大正篇《たいしょうへん》】

二〇二二年八月一〇日 第一刷発行

編者 山口輝臣（やまぐち・てるおみ）
福家崇洋（ふけ・たかひろ）

発行者 喜入冬子
発行所 株式会社 筑摩書房
東京都台東区蔵前二-五-三 郵便番号一一一-八七五五
電話番号〇三-五六八七-二六〇一（代表）
装幀者 間村俊一
印刷・製本 株式会社 精興社

ISBN978-4-480-07502-4 C0210

ちくま新書

1589
大正史講義
筒井清忠編
大衆の台頭が始まり、激動の昭和の原点ともなった大正時代。その複雑な歴史を26の論点で第一線の研究者が最新の研究成果を結集して解説する。決定版大正全史。

1590
大正史講義【文化篇】
筒井清忠編
新たな思想や価値観、生活スタイルや芸術文化が生まれた大正時代。百花繚乱ともいえるこの時代の文化を、最新研究の成果を盛り込み第一級の執筆陣24名が描き出す。

1318
明治史講義【テーマ篇】
小林和幸編
信頼できる研究を積み重ねる実証史家の知を結集。20のテーマで明治史研究の論点を整理し、変革と跳躍の時代を最新の観点から描き直す。まったく新しい近代史入門。

1421
昭和史講義【戦前文化人篇】
筒井清忠編
柳田、大拙、和辻ら近代日本の代表的知性から谷崎、乱歩、保田與重郎ら文人まで、文化人たちは昭和戦前期をいかに生きたか。最新の知見でその人物像を描き出す。

1459X
世界哲学史 全8巻＋別巻セット
現代を代表する総勢115名の叡智が大集結。古今東西の哲学について各々が思考する、圧巻の論考集。初学者から極める者まで、これを読まずして哲学は語れない。

1099
日本思想全史
清水正之
外来の宗教や哲学を受け入れ続けてきた日本人。その根底に流れる思想とは何か。古代から現代まで、この国のものの考え方のすべてがわかる、初めての本格的通史。

1343
日本思想史の名著30
苅部直
古事記から日本国憲法、丸山眞男『忠誠と反逆』まで、日本思想史上の代表的名著30冊を選りすぐり徹底解説。人間や社会をめぐる、この国の思考を明らかにする。